CW00797220

MEISTERWERKE DER NATIONAL GALLERY

Ein Souvenirführer

Erika Langmuir

Vorwort des Direktors

Die National Gallery wurde 1824 mit dem Ziel gegründet, allen im Land, auch den Kindern ein Privileg zu geben, das ehemals nur ganz wenigen vorbehalten war, nämlich das, Kunstwerke zu besitzen und genießen zu können. Dank der modernen Transportmittel sind die rund 2.000 Meisterwerke der europäischen Kunst, die sich im Besitz der Nation befinden, nun auch Menschen aus aller Welt zugänglich. Der Eintritt ist frei, aber all jene, die von weither anreisen, haben oft nicht die Möglichkeit, so lange zu verweilen oder so oft zu kommen, wie sie es sich wünschen würden. Aus diesem Grund bietet die National Gallery kurze Besichtigungen der bedeutendsten Meisterwerke der Sammlung oder Führer wie diesen, für Besucher, die die Gemälde lieber alleine, aber mit einem aufschlussreichen Kommentar betrachten.

Dieser kurze Leitfaden enthält 36 der beliebtesten Bilder der National Gallery, die anhand von Abbildungen besprochen werden: Vom prächtigen Wilton-Diptychon aus dem ausgehenden 14. Jh., das für die Hausandacht eines englischen Monarchen geschaffen wurde, bis zu van Goghs Gemälde eines einfachen Stuhls, das er 1888 als Ausdruck seiner künstlerischen Ideale schuf. Der Führer soll dem Betrachter nicht nur Informationen vermitteln, sondern zu einem persönlichen Dialog mit den Bildern inspirieren. Vergrößerte Bildausschnitte verweisen dabei auf besonders attraktive, überraschende oder technisch interessante Aspekte des jeweiligen Gemäldes. In den Einleitungen zu den vier Trakten, in denen die Bilder chronologisch und nicht nach den einzelnen Richtungen ausgestellt sind, werden die verschiedenen Entwicklungen in der europäischen Kunst von etwa 1260 bis 1900 besprochen. Sie sollen auch ein Anreiz zu einem eingehenderen Besuch der Sammlung und zu persönlichen Entdeckungen sein.

Wir haben in England ein Sprichwort, wonach man nie zweimal im selben Fluß badet. Das gilt auch für Bilder, denn man sieht sie immer wieder mit neuen Augen. In diesem Sinne hoffe ich, dass diese Bildauswahl, nachdem sie ihren Zweck als Führer erfüllt hat, genau wie ein erfrischendes Bad in fließendem Wasser, als Anregung zur Erinnerung immer wieder Freude bereitet.

Neil MacGregor
Direktor

DER SAINSBURY-FLÜGEL
Von Giotto bis Dürer

MIT SEINEN DUNKLEN GEWÖLBEBOGEN und hell getünchten Wänden erinnert der im Juli 1991 eröffnete Sainsbury-Flügel an die kühlen Interieurs Florentiner Renaissancekirchen, was auch durchaus angebracht ist, denn die meisten der für diesen Flügel bestimmten frühen Gemälde (Abb. 1) – wie Pierro della Francescas *Die Taufe Christi*, Bermejos *Der hl. Michael besiegt den Teufel* und Leonardo da Vincis *Die Felsgrottenmadonna* – waren ursprünglich für Kirchen gedacht. Diese Altarbilder waren Hintergrund zu den religiösen Handlungen am Altar und hatten eine Darstellung des Heiligen, dem die Kirche oder Kapelle geweiht war, zum Thema. Kleine, tragbare Retabeln, wie *Das Wilton-Diptychon*, das Richard II. im Gebet vor Christus und der Jungfrau Maria zeigt, dienten sicher, wie die meisten dieser Bilder, der Hausandacht; kleinere Gemälde mit christlichen Themen waren für die fromme Betrachtung im privaten Bereich (Abb. 2) und nicht die öffentliche Verehrung bestimmt. Im Gegensatz zur heutigen Zeit waren Frömmigkeit und ästhetischer Genuss damals weniger stark voneinander getrennt, und der ursprüngliche Besitzer von Dürers *hl. Hieronymus* wusste sein Gemälde als Landschaftsbild sicher ebenso zu schätzen wie als Inspiration zur frommen Andacht.

Doch nicht alle Gemälde im Sainsbury Flügel haben religiöse Themen. Viele sind Porträts, die die gesellschaftliche Position des Dargestellten vor Augen führen, wie zum Beispiel Jan van Eycks *Bildnis des Giovanni (?) Arnolfini und seiner Frau*, das den ehelichen Wohlstand des in den Niederlanden

Abb. 1: Duccio
Die Verkündigung, 1311

ansässigen italienischen Handelsherrn zeigt. Bellinis Porträt des Dogen *Leonardo Loredan* feiert dessen Erhebung zum zeremoniellen Oberhaupt der Venezianischen Republik. Andere, heute eigenständige Gemälde mit weltlichen Themen waren ehemals Teil eines prunkvollen Raumdekors oder zierten ein Möbelstück. Daneben wurden auch mythologische Figuren wie Botticellis *Venus und Mars* oder historische Ereignisse als Sujet verwendet.

Mit Ausnahme von Wandmalereien sind die meisten Gemälde aus jener Zeit auf Holz gemalt. Die italienischen Künstler arbeiteten vor allem in Tempera, einer mit Eigelb gebundenen Farbe, während in den nördlichen Breiten Europas Ölfarben vorgezogen wurden, da sie eine viel realistischere Helldunkelmalerei und Strukturnuancierung erlaubten. Zum Malen mit Öl- und Temperafarben, die auf einem glatten, weißen Kalk- oder Gessogrund aufgetragen wurden, waren akribische Vorbereitungen notwendig. Auch das von Goldmünzen fein gehämmerte Blattgold wurde nördlich wie südlich der Alpen oft als Hintergrund oder zum Illuminieren der Linien verwendet. Oft wurde das Gold auch geritzt, um das Licht besser zu reflektieren, oder zur Imitation von Goldstoffen gestanzt. Um uns aber ihre ursprüngliche Wirkung vor Augen zu führen, müssen wir uns die Altarbilder im Sainsbury Flügel im flackernden Licht der Kirchenkerzen vorstellen.

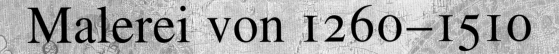

Malerei von 1260–1510

DAS WILTON-DIPTYCHON (ca. 1395–9)

Eitempera auf Eiche, Flügel je 53 × 37 cm

In diesem reich mit Gold und Lapislazuli verzierten zwei-flügeligen Retabel sind die religiösen und höfischen Ideale des Mittelalters eindrucksvoll vereint. Richard II. von England weiht hier sein Königreich in Form des Reichsapfels über dem Auferstehungsbanner der Himmelskönigin. Das Christus-kind übernimmt es im Namen seiner Mutter und segnet Richard als ihren Vizekönig. In Begleitung seines Schutzpatrons, Johannes des Täufers, und seiner heiligge-sprochenen Vorfahren Edmund und Eduard der Bekenner kniet der König auf nacktem Boden vor einer paradiesischen Vision der himmlischen Heerscharen. Wahrscheinlich gab der am 6. Januar – dem Dreikönigstag und gleichzeitigen Fest Johannes des Täufers – geborene Richard II. dieses Werk als Ausdruck seiner Hoffnung auf sein Seelenheil und seiner Sendung als Herrscher von Gottes Gnaden zur eigenen Hausandacht in Auftrag.

Ein Diptychon ist ein zwei-flügeliges Altarbild, das wie ein Buch geöffnet wird. Es wurde zum Schutz der Gemälde geschlossen transportiert und geöffnet zum Gebet auf ein Regal oder einen Altar gestellt. Auf Diptychen mit weltlichen Themen waren oft die Porträts von Eheleuten dargestellt.

Das Blattgolddekor wurde hier gestanzt, um das Licht besser zu reflektieren. Im Heiligenschein des Jesuskinds sind die Dornen-krone, die er später tragen wird, und die Nägel, mit denen er ans Kreuz geschlagen wird, zu sehen. Der Künstler hat hier ein Kind dargestellt, das zur Sühne für die Sünden der Menschheit leiden wird.

Der Reichsapfel über dem Auferstehungsbanner zeigt das Bild einer winzigen grünen Insel mit einem weißen Schloss in einem Meer aus heute leider an-gelaufenem Blattsilber. Diese Darstellung ähnelt der auf einem verloren gegangenen Altarbild, auf dem Richard II. und seine Gemahlin der Jungfrau den Reichsapfel als Mitgift anbieten.

BILDNIS DES GIOVANNI (?) ARNOLFINI UND SEINER FRAU (1434)

Öl auf Eiche, 82,2 × 60 cm

Die in Latein verfasste Inschrift auf der hinteren Wand, „Jan van Eyck war hier/1434" bedeutet keineswegs, dass auf diesem Bild eine wirkliche Hochzeitsfeier dargestellt ist. Der niederländische Maler hat hier seine Freunde – einen in Holland lebenden italienischen Kaufmann und seine Frau – in einem imaginären Raum als Symbol ihres Ehestands dargestellt. Er „war hier", weil *nur er* in diesem in seiner Vorstellung vorhandenen Raum anwesend war. Dank seiner geduldigen Beobachtung der Lichtwirkung auf verschiedenen Strukturen und Formen und seiner geschickten Anwendung der langsam trocknenden Ölfarben hat van Eyck hier die Illusion eines echten Interieurs geschaffen, das vom Fenster und einer zweiten Lichtquelle – wahrscheinlich der im Konvexspiegel reflektierten Türe – erhellt wird. Die Menschen in diesem Bild erscheinen uns weniger real als das vibrierende Licht, das den Raum und die Objekte darin – Rosenkranz, Messingleuchter, die pockennarbigen Orangenschalen, das seidige Fell des Hündchens, Holz, Samt, Wolle, Leinen und Pelz – definiert. Van Eyck ist nicht, wie es oft heißt, der Erfinder der Ölfarbe, aber er ist bahnbrechend im optischen Realismus, den diese Technik ermöglicht. Seine Kunst lehrt uns, unsere Umgebung neu zu betrachten. Welche Farbe hat poliertes Messing? Nein, kein eintöniges „Messinggelb", sondern ein überraschend breites Farbspektrum, das sich von Weiß über ein leuchtendes Gold bis hin zu Schwarz erstreckt.

Der wertvolle Spiegel an der Rückwand hat nicht nur den Zweck, den Wohlstand der Arnolfinis zu demonstrieren. Die kleinen, in Kreuzigung und Auferstehung gipfelnden Bilder hinter Glas aus der Passion Christi im Rahmen lassen den Spiegel als das Auge Gottes erscheinen, in dem unser irdisches Verhalten im Licht der Ewigkeit reflektiert ist.

Die dunklen Flächen zu Arnolfinis Füssen sind nicht nur Schatten. Da Ölfarben im Alter durchsichtig werden, können wir nun sehen, wie van Eyck die Stellung der Füsse geändert hat. Derartige, direkt auf der Holztafel durchgeführte Änderungen werden als *pentimenti*, „Reuen", bezeichnet und sind nur auf Ölgemälden sichtbar.

Van Eyck in der National Gallery Weitere Gemälde von van Eyck sind *Porträt eines Mannes (Léal Souvenir)*, 1432, und *Mann mit Turban (Selbstporträt?)*, 1433. Vom vierten Bild, *Marco Barbarigo*, ca. 1449, wird angenommen, dass es in London von einem Schüler gemalt wurde.

3 Piero della Francesca (um 1415/20–1492)

DIE TAUFE CHRISTI (1450S)

Eitempera auf Pappel, 167 × 116 cm

Hier hält die Welt den Atem an: so ruhig und still, geordnet, kühl und klar ist die Szene. Sie zeigt, wie Christus bei seiner Taufe durch Johannes als Sohn Gottes erscheint. Der Heilige Geist schwebt „wie eine Taube" (Markus 1:10) über ihm, seine Hände sind im Gebet zum Himmlischen Vater gefaltet. Ein außergewöhnlicher und zeitloser Augenblick in der Geschichte. Der ursprüngliche Betrachter hätte hier die göttliche Natur Christi immer wieder aufs Neue erkannt. Bei vielen Besuchern der National Gallery ist dies auch heute noch der Fall, doch für andere ist die einsame, blasse Figur im Zentrum ein Mensch wie wir. Von allem Irdischen befreit, ist er völlig verinnerlicht und auf sein Schicksal konzentriert. Wir alle haben Augenblicke wie diesen erlebt, wenn sich eine große Änderung in unserem Leben und in uns selbst vollzieht. Bald wird die Taube ihre Flügel falten, der Fluss erneut fliessen und das Taufwasser über den Kopf des Erlösers laufen. Er wird dem Wasser entsteigen und sein Los auf sich nehmen. Hinter ihm macht sich ein zweiter Mann zur Taufe bereit. Weil dieses Gemälde eine universelle Erfahrung ausdrückt, hat Piero della Francesca die Szene in die heimatliche Toskana unweit seines Geburtsorts Borgo San Sepolcro verlegt.

Piero della Francesca hat seine Komposition geometrisch aufgebaut. Die Schwingen der Taube markieren den oberen Rand eines vollkommenen Rechtecks. Die vertikale Zweiteilung des Gemäldes erfolgt durch eine imaginäre Linie vom Scheitelpunkt des bogenförmigen Abschlusses bis zur rechten Ferse der Christusfigur.

Die weiße Taube des Heiligen Geistes zeigt die Ergebnisse der Studien des Künstlers in der für die Renaissance neuen Wissenschaft der Perspektive. Durch ihre perspektivische Verkürzung scheint sie direkt auf uns zuzufliegen.

Borgo San Sepolcro (das heutige Sansepolcro) wurde nach dem Heiligen Grab benannt, von dem Pilger angeblich Reliquien aus dem Heiligen Land zurückbrachten.

DER HL. MICHAEL BESIEGT DEN TEUFEL MIT DEM STIFTER ANTONIO JUAN (um 1468)

Öl und Gold auf Holz, 179 × 81,9 cm

Der Erzengel Michael gilt als Oberbefehlshaber der Himmlischen Heerscharen, der die vom Teufel aufgehetzten Engel aus dem Himmel vertrieb. Er wurde in Spanien ganz besonders verehrt, da man ihn mit der Rückeroberung ehemals christlicher Gebiete von den Mauren assoziierte. Wir sehen den Engel hier in einer goldenen Rüstung, einem priesterlichen Pluviale aus Goldbrokat und einem Schild mit kristallener Kuppel wie er den Teufel tötet. Eine der Aufgaben des Erzengels ist es auch, beim Jüngsten Gericht zu entscheiden, ob die guten Taten einer armen Seele ihre Sünden überwiegen. Daher wird Michael hier als Beschützer Spaniens und als Seelenrichter von Antonio Juan, dem Feudalherrn der Stadt Tous unweit von Valencia, für deren Kirche San Miguel er das Retabel in Auftrag gegeben hatte, verehrt. Bermejos vollendeter Einsatz der für den durchdringenden Realismus und die dekorative Pracht des Gemäldes verantwortlichen Öllasurtechnik zeigt den Einfluss der niederländischen Maler (s. van Eyck) auf die spanische Kunst.

Michaels Rüstung scheint aus Gold und nicht aus Eisen gefertigt zu sein. Die glänzende Brustplatte reflektiert die gotischen Türme einer Stadt, bei der es sich nur um das Himmlische Jerusalem handeln kann, obwohl der Teufel bereits auf Erden unter den Füssen des Erzengels zermalmt wird.

Der Teufel erscheint als Gegenstück des herrlichen Engels. Michael ist gleichmütig in seinem Sieg, während sich der Teufel – teils Reptil, Vogel, Motte, Fledermaus, Muschel und Igel – wie ein ungehorsames Kind windet und schreit. Wahrscheinlich soll er die sieben Todsünden – Stolz, Zorn, Neid, Wollust, Gefräßigkeit, Habsucht und Müßiggang personifizieren.

Juans Psalter zeigt die Anfangszeilen der Psalmen 51, „Gott sei mir gnädig nach deiner Güte", und 130, „Aus der Tiefe rufe ich, Herr, zu dir".

5 Sandro Botticelli (um 1445–1510)

Venus und Mars (um 1485)

Eitempera und Öl auf Pappel, bemalte Fläche 69,2 × 173,4 cm

Dieses Bild gehört zu den wenigen mythologischen Gemälden, für die Botticelli heute berühmt ist. Mit ziemlicher Sicherheit wurde es anläßlich einer Hochzeit als Rückenbrett einer Bank oder Truhe für ein florentinisches Stadthaus geschaffen. Vor dem Hintergrund grüner Lorbeerbäume wacht Venus, die Göttin der Liebe und der Schönheit, über ihren schlafenden Liebhaber, den Kriegsgott Mars. Nicht einmal die Seemuschel, mit der ein schelmischer Satyr – halb Kind, halb Bock – in sein Ohr bläst, oder die summenden Wespen, können ihn wecken. Trotz des mythologischen Themas haben Frisur, Schmuck und Kleidung der Venus und die Rüstung des Mars mit der antiken Kunst nicht viel gemein, sondern entsprechen vielmehr der zeitgenössischen Mode. Ebenso zeitgenössisch und eine Quelle des Humors bei Hochzeitsfeierlichkeiten ist die Vorstellung, dass der Liebesakt den Mann erschöpft, die Frau dagegen belebt, und dahinter findet sich noch die ernstere Aussage „Liebe erobert alles". Botticelli, der vor allem Porträts und religiöse Themen malte, war mit den führenden Dichtern und Denkern der Stadt Florenz befreundet, und es ist durchaus anzunehmen, dass dieses Bild von einer antiken oder zeitgenössischen literarischen Quelle inspiriert wurde.

Botticelli oder *botticello* bedeutet „kleines Fass". Mit wirklichem Namen hieß Botticelli, der Sohn eines florentinischen Gerbers, Alessandro Filipepi. Seinen Spitznamen verdankt er wahrscheinlich seinem älteren Bruder, einem Hersteller von Blattgold, von dem er aufgezogen wurde.

Der kleine Satyr mit Helm könnte von der Beschreibung der Hochzeit Alexanders und Roxanas des römischen Dichters Lucius inspiriert worden sein, in der Amoretten mit Alexanders Rüstung und Waffen spielen. Mehr noch als Amoretten symbolisieren Satyre das hemmungslose Liebesspiel: Mars wurde im wahrsten Sinn des Wortes „entwaffnet" und ist zu erschöpft sowohl für die Liebe als auch zum Kampf.

Wespen oder *vespe* könnten ein wortspielerischer Verweis auf die Vespucci-Familie gewesen sein, für die Botticelli bekanntlich gearbeitet hat. Da es keinen Nachweis gibt, dass dieses Bild für sie geschaffen wurde, könnten die Insekten aber auch die „Stacheln" der Liebe symbolisieren.

Der Doge Leonardo Loredan (1501–4)

Öl auf Pappe, 61,6 × 45,1 cm

Diese beziehungsreiche Bildnis ist wahrscheinlich bald nach der Wahl des Leonardo Loredan (1436–1521) im Jahr 1501 zum Dogen, das heißt zum Staatsoberhaupt der Republik Venedig, entstanden. Er ist hier mit dem weißen Umhang und der hornförmigen Kappe seines Festgewandes zu sehen. Den Umhang aus wertvollem, mit Goldfäden gewebtem Damast zieren glockenartige Knöpfe. Das Bild ist zum Teil von den skulpturalen Porträtbüsten des alten Rom, zum Teil von gemalten niederländischen Bildnissen inspiriert und ist ein statisches offizielles Bild. Der Doge ist vom Betrachter durch eine steinerne Brüstung getrennt, auf der ein Stück Papier die Unterschift des Künstlers trägt. Das Porträt enthält durchaus die Andeutung einer Persönlichkeit, vielleicht sogar ein Nachdenken über Alter oder Glauben. Indem er das Blau des Hintergrunds abstuft, deutet Bellini den Himmel an. Die Art, wie das Licht ausgerichtet ist, und die Reflexionen in Loredans Augen lassen darauf schließen, dass er in die Sonne schaut. Der Farbe nach ist die Sonne noch nicht untergegangen, sie scheint aber ziemlich tief zu stehen. Diese Anspielung auf den Lauf der Zeit ruft, in Verbindung mit Loredans gealtertem Gesicht, den Vergleich zwischen der Dauer eines Tages und der Spanne des menschlichen Lebens wach und erinnert an den unvermeidlichen Einbruch der Nacht. Doch Bellini, ein gläubiger Christ, hat das Seelenheil oft als das Licht der Morgendämmerung dargestellt und er vermittelt diese Hoffnung in dem ansonsten völlig säkularen Bild hier vielleicht auch dem Dogen.

Das Porträt ist weniger statisch als es zunächst den Anschein hat. Obwohl die Reflexionen der Lichtquelle in beiden Augen gleich sind, wirkt die rechte Seite des Gesichts (von uns aus links) stärker beleuchtet und strenger, während die linke, verschattete Seite wohlwollender erscheint.

Handzerstoßene Pigmente sind von unterschiedlicher Dichte und können je nach Farbe in einer dünnen transparenten Schicht oder in kräftigen undurchsichtigen Farbtupfen aufgetragen werden. Bellini hat hier die breiige Konsistenz der weißen und gelben Pigmente im Öl genutzt und die Farboberfläche zur Nachahmung des Damastgewebes absichtlich aufgerauht.

Bellini in der National Gallery
Neben diesem Gemälde umfasst die Sammlung 14 Bilder des Künstlers und seiner Werkstatt. Zu den berühmtesten zählen *Das Blut des Erlösers*, wahrscheinlich 1460–5, *Christus im Garten Gethsemane*, um 1465, und *Die Wiesenmadonna*, um 1500.

7 Leonardo da Vinci (1452–1519)

DIE FELSGROTTENMADONNA (um 1508)

Öl auf Holz, 189,5 × 120 cm

Dieses mysteriöse Bild wurde als zentraler Teil eines Retabels für die Laienbruderschaft der Unbefleckten Empfängnis in Mailand geschaffen. Leonardo könnte das Bild geplant haben, bevor er bei seiner Ankunft in Mailand 1483 den Auftrag erhielt, da es sich dabei um keine konventionelle Darstellung der Unbefleckten Empfängnis handelt, sondern um eine Variation dieses Themas, mit der er sich bereits in Florenz befasst hatte. Diese Doktrin, die erst 1854 von der katholischen Kirche zum Dogma erklärt wurde, betrifft nicht die wunderbare Geburt Christi, sondern die Befreiung Mariens von der Erbsünde. Maria wurde in diesem Kontext normalerweise ohne das Christuskind dargestellt. Doch die *Felsgrottenmadonna* zeigt Maria nicht nur mit dem Jesuskind und einem Engel, sondern auch mit Johannes dem Täufer als Knaben unter ihrem schützenden Umhang. Die Auftraggeber des Künstlers fürchteten offenbar, dass man die beiden Kinder verwechseln könnte, denn Johannes ist von späterer Hand ein Schilfkreuz als Attribut hinzugefügt worden, das unbeholfen aus einer der exquisiten Pflanzenstudien des Bildes herausragt. Die Schatten hinter den niemals völlig vollendeten Figuren vermitteln die Illusion einer dunklen Höhle, die ursprünglich noch von einem kunstvoll geschnitzten Rahmen unterstrichen wurde. Man könnte darin fast eine Personifizierung der Naturgewalten sehen, ganz so, als ob ihr Ritual von Verehrung und Erneuerung die zeitlosen Vorgänge, wie Ebbe und Flut oder die Bildung von Gestein und Fossilien, widerspiegelt. Somit symbolisieren die Figuren Gedeihen, Tod und Wiedergeburt der lebenden Organismen, den wahren Objekten von Leonardos Verehrung.

Leonardo da Vinci in der National Gallery Leonardos großer Karton *Anna selbdritt*, wahrscheinlich um 1499–1500, hängt in einem speziell abgedunkelten Raum hinter der *Feslgrottenmadonna*. Die zwei in der Nähe gezeigten musizierenden Engel eines anderen Künstlers entstammen wahrscheinlich einem der Flügel des Mailänder Retabels.

Nur im Gesicht des Engels und im durchsichtigen Schleier sind die Intentionen des Künstlers voll ausgeführt. Hier ist die Pinselführung bestimmt und delikat und läßt die Strukturen unter den schimmernden Licht- und Schatteneffekten erkennen.

Die Blautönung von Wasser und Felsen im Hintergrund zeigt Leonardos geschickten Einsatz von Luft- anstelle von Linearperspektive: Mit zunehmender Entfernung vom Betrachter werden Objekte kleiner und nehmen eine blassbläuliche Färbung an.

8 Albrecht Dürer (1471–1528)

DER HL. HIERONYMUS (um 1496)

Öl auf Birnenholz, 23,1 × 17,4 cm

1494 soll Albrecht Dürer eine für seine künstlerische Entwicklung bedeutsame Reise von seinem heimatlichen Nürnberg nach Venedig unternommen haben. Während sich die deutsche Kunst durch phantasievolle und empirische Beobachtungen und eine ausdrucksvolle und doch präzise Linienführung auszeichnete, schien die italienische Kunst das Geheimnis der universellen Harmonie in sich zu bergen. Die italienischen Maler hatten aus der antiken griechisch-römischen Kunst die Fähigkeit übernommen, „nackte Bilder" zu malen und schufen mit wohl proportionierten Figuren in einnehmenden Posen unter Verwendung von Perspektive, Licht, Schatten und Farben einheitliche, emotional ansprechende Kompositionen.

Die Skizzen, die Dürer auf seiner Reise schuf, waren eher topografische Bestandsaufnahmen, die von seiner Rückreise hingegen poetische Aufzeichnungen seiner Erfahrungen. Mit diesem kleinen Ölbild hat der Künstler seine Aquarellstudien in ein verkäufliches Andachtsbild umgewandelt. Hieronymus erscheint hier als heroischer Büßer und Visionär, der mit seinem Löwen eine Wildnis zwischen Deutschland und Italien bewohnt. Finken tauchen in das strömende Wasser, das Kruzifix steckt im Stumpf einer Silberbirke, Tannen krönen die zerklüfteten Felsen, und der Weg schlängelt sich durch einen Wald von Eichen und Koniferen. Aus dieser germanischen Düsternis öffnet sich der Blick auf eine luftig italienisierende Ebene und auf Berge, die in dünner blauer Luft schimmern. Die Glut der Sonne trotzt den Wolken, den dunklen Vorboten der Nacht.

Die spitzen Dächer einer deutschen Burg erheben sich über einem nördlichen Wald. Der Weg hinter dem Heiligen ist das Symbol seiner spirituellen Reise, doch auch ein Sinnbild von Dürers geistiger Entwicklung: trotz seines erweiterten Horizonts bleibt er seinem deutschen Erbe treu.

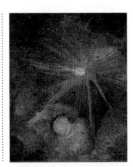

Auf der Rückseite der Tafel befindet sich ein flink gemalter Komet, vielleicht ein himmlisches Vorzeichen für das in der Offenbarung Johannis angekündigte Jüngste Gericht, dessen Posaunen Hieronymus in der Wüste gehört haben soll.

Der hl. Hieronymus (?347–420) verfasste die lateinische Standardübersetzung der Bibel, die Vulgata. Als päpstlicher Berater wurde er posthum zum Kardinal erhoben und wird üblicherweise mit dem breitkrempigen Hut und dem Umhang eines Kardinals dargestellt.

DER WEST-FLÜGEL

Von Holbein bis Veronese

DIE FARBENPRÄCHTIGEN STOFFBESPANNUNGEN, die die Wände des West-Flügels zieren, erinnern an die fürstlichen Paläste, für die viele der hier ausgestellten Gemälde geschaffen wurden. Die meisten Bilder erscheinen größer oder zumindest imposanter und lebendiger als die des Sainsbury-Flügels, darunter viele mit Themen aus der Antike und zahlreiche Porträts. Veroneses *Die Familie des Darius zu Füßen Alexanders* vereint beides, wohl um den Bewohnern des Palastes, den es einst schmückte, zu schmeicheln. Wie bei einem großen *Tableau vivant* stellen die Mitglieder einer Familie einen bedeutenden Augenblick der antiken Geschichte dar und zelebrieren dabei die heidnischen, wenn nicht gar unchristlichen Tugenden der männlichen Kameradschaft und des höfischen Großmuts. Vom christlichen Verbot des Selbstmords völlig unberührt ist Lottos *Dame mit einer Zeichnung der Lucretia,* das deren Verwandtschaft mit der berühmten Römerin versinnbildlicht, die den Selbstmord über den Verlust ihrer Unschuld wählte. Die italienischen Künstler im West-Flügel scheinen sich mit diesen Themen wohler zu fühlen, als ihre Kollegen aus dem europäischen Norden, denn es war in Italien, wo griechisch-römische Statuen zu jener Zeit mit Begeisterung ausgegraben und die Manuskripte antiker Dichter wiederentdeckt und in die Sammlungen gebildeter Edelleute aufgenommen wurden. Zu Tizians *Bacchus und Ariadne,* das er für einen belesenen Soldatenfürsten schuf, standen Skulpturen und Dichtungen der Antike Pate, desgleichen zu Bronzinos stilvoller, wenn auch viel erotischeren *Allegorie mit Venus und Amor.*

Die Wiederbelebung der heidnischen Antike schloss jedoch keineswegs ein weiteres Interesse an der christlichen Kunst aus. In Mittelitalien wurden Altarbilder nun oft auf einer Tafel und nicht wie früher auf komplizierten, mehrflügeligen Konstruktionen gemalt. In den vollkommenen Körperproportionen des toten Erlösers veranschaulicht Michelangelos unvollendete *Grablegung* das von den antiken Skulpturen abgeleitete Schönheitsideal des Künstlers. Dabei wirkt das Bild selbst wie eine Skulptur, typisch für Michelangelo, der bevorzugt als Bildhauer arbeitete.

Abb. 1: Jan Gossaert
Junges Mädchen, um 1520

Abb. 2: Giovanni Battista Moroni
Männerporträt („Der Schneider"), um 1570

Die Porträts im West-Flügel scheinen oft viel über den Charakter des Modells und dessen Innenleben auszusagen (Abb. 1 und 2). Von Raffaels *Julius II.* heißt es, dass es den Betrachtern, genau wie der Mann selbst, Angst einjagte. Und trotz seines kleinen Formats bringt Cranachs *Johann Friedrich der Edelmütige* die erregbare Energie eines Sechsjährigen voll zum Ausdruck. „*Die Gesandten*" von Holbein wiederum scheinen, umgeben von Symbolen menschlicher Errungenschaften, über die Kürze des Lebens nachzusinnen.

Die Öltechnik, die sich langsam in ganz Italien durchsetzte, erreichte in den Werken der venezianischen Maler Tizian und Veronese ihren Höhepunkt. Als führende Seemacht war der Schiffsbau in Venedig hoch entwickelt, und die Künstler benutzten anstelle von Holz zunehmend die für die Segel verwendete Leinwand. Im Alter wurde Tizians Öltechnik kräftiger und ausdrucksvoller und in seinen Spätwerken sehen wir, wie er seine Bildoberflächen mit Pinsel und Fingern belebt. Außerdem läßt sich Leinwand leichter transportieren als Holz, und so war Tizian ohne weiteres in der Lage, Kunden im Ausland zu beliefern. Seine Werke beeinflussten über Jahrhunderte Künstler in ganz Europa.

Malerei von 1510–1600

9 Michelangelo (1475–1564)

DIE GRABLEGUNG (um 1500–1)

Öl auf Holz, 161,7 × 149,9 cm

Bei dieser ergreifenden Grablegung handelt es sich mit ziemlicher Sicherheit um ein Altarbild. Es ist bekannt, dass Michelangelo es im September 1500 für eine Grabkapelle in Rom begonnen hatte und dann im Frühling 1501 zurückließ. Es sollte den Anschein haben, dass der Leichnam Christi, der hier emporgehoben wird, um zum Grab getragen zu werden, auf den darunter liegenden Altar gelegt würde, um dort nach christlichem Glauben in die eucharistische Gabe verwandelt zu werden. Michelangelo arbeitete die Figuren wie Skulpturen zuerst aus und legte dann den Landschaftshintergrund um diese herum an. Der wie Marmor kalte und glatte Leichnam ist als einziger Teil des Gemäldes nahezu vollendet, doch selbst in diesem späten Stadium fehlen noch die Wundmale an den Füßen und in der Seite Christi. Getragen wird der Leichnam von Joseph von Arimathea, dem in Rot gekleideten Evangelisten Johannes und einer Begleiterin Mariens. Die kniende Frau sinnt über die Dornenkrone und die Kreuzesnägel nach. Die fehlende Figur auf der Rechten sollte die um ihren Sohn trauernde Maria darstellen. Michelangelo wartete gerade auf die Lieferung des kostbaren Lapislazulipigments, das üblicherweise für ihren Umhang verwendet wurde, als man ihn nach Florenz zurück berief.

Michelangelo in der National Gallery Ein weiteres unvollendetes Gemälde, *Madonna mit dem hl. Johannes und Engeln*, auch „*Die Manchester Madonna*" genannt, weil sie 1857 in Manchester ausgestellt wurde, wird dem jungen Michelangelo aus der Zeit um 1497 zugeschrieben. Im Gegensatz zur *Grablegung* ist es in Eitempera ausgeführt.

Die weiße Silhouette des Grabes und die Konturen der kleinen Figuren wurden dadurch verstärkt, dass die noch nasse braune Farbe der Felsen weggeschabt bzw. weggeschoben wurde – die Technik eines Bildhauers, der daran gewöhnt ist, Material eher wegzuschlagen als es hinzuzufügen.

Das Aussehen des Gemäldes hat sich durch die chemische Reaktion einiger Pigmente verändert. Michelangelo malte das Kleid der den Leichnam stützenden Maria ursprünglich in einem leuchtenden Hellgrün für die Glanzpunkte und einem kräftigen Smaragdgrün in den Schattenpartien. Die gegenwärtige Verfärbung entstand durch eine Reaktion der Kupferresinate in der Lasur.

Papst Julius II (1511–12)

Öl auf Holz, 108 × 80,7 cm

Ein Zeitgenosse sagte von diesem Bild, es sei ‚so lebensnah und echt, dass es jeden, der es sieht in Angst und Schrecken versetzt, als ob der Mann selbst da wäre. Der ungestüme Julius II. führte seine Truppen persönlich in anstrengende Feldzüge, und als er 1511 die Stadt Bologna verlor, ließ er sich aus Verdruss darüber einen Bart wachsen, den er im März 1512 wieder abrasierte – wodurch sich dieses Gemälde leicht datieren läßt. Das Bild war so einflussreich und wurde so oft kopiert, dass uns das Neue an ihm entgehen könnte. Indem er den Stuhl des Papstes zur Seite wendet und den Blick des Prälaten nach innen richtet, hat Raffael die offiziellen Ansichten thronender Herrscher, wie wir sie von Münzen, Medaillen und Siegeln kennen, in eine eindringliche Charakterstudie verwandelt. Darüberhinaus ist das Werk in einer venezianisch beeinflussten, herrlichen Harmonie von Rot und Grün, Weiß und Gold gehalten. Das im grünen Vorhang gerade eben sichtbare Muster aus päpstlichen Schlüsseln und Tiaren war ursprünglich in Gold gemalt, um den Anschein von Brokat und Stickerei zu geben. Dass Raffael dies änderte, zeigte sich, als man das Gemälde 1969 vor seiner Reinigung wissenschaftlich untersuchte; die Entdeckung ist ein wesentlicher Grund für die Annahme, dass dieses Bild das Original unter vielen Versionen des Porträts ist.

Die beringten Hände des Papstes geben Aufschluss über seinen zwiespältigen Charakter. Die linke, perspektivisch verkürzte Hand ergreift kraftvoll die Stuhllehne, während die rechte entspannt ein kostbares Taschentuch aus Kambrik hält.

Die Bronzeeicheln, die den päpstlichen Stuhl zieren, sind ein persönliches Emblem, denn Julius' Familienname war della Rovere, das italienische Wort für „Eiche". Die Reflexionen des Fensters – der einzigen Lichtquelle – und der roten Kappe des Papstes zeigen, in welcher Vollendung Raffael zu diesem Zeitpunkt bereits die Öltechniken der niederländischen Künstler übernommen hatte.

Raffael in der National Gallery
Die Sammlung umfasst Bilder aus praktisch allen Phasen der kurzen Laufbahn des Künstlers: von den frühen, von Perugino beeinflussten Werken (*Der Gekreuzigte mit Maria, Heiligen und Engeln*, um 1503) und den von Leonardo beeinflussten Florentiner Werken (*Die hl. Katharina von Alexandrien*, um 1507–8) bis zu diesem ausgereiften Werk seines großen römischen Gönners.

JOHANN DER BESTÄNDIGE VON SACHSEN UND SEIN SOHN
JOHANN FRIEDRICH (1509)

Öl auf Holz, 41,3 × 31 cm/42 × 31,2 cm

Die Kurfürsten von Sachsen, die berechtigt waren, bei der Wahl der Kaiser des Heiligen Römischen Reichs mitzustimmen, waren die Gönner Luthers. Sie bewiesen auch bei der Wahl ihres Hofmalers eine glückliche Hand. Lucas Cranach war der bedeutendste Maler der Reformation, deren wichtigste Persönlichkeiten, darunter auch Luther, er malte. Bei diesem Doppelporträt Johanns des Beständigen und seines Sohnes Johann Friedrich scheint er aber vor allem die Gelegenheit ergriffen zu haben, eines der frühesten und einfühlsamsten Kinderporträts der europäischen Kunst zu schaffen. Das Werk bricht mit der Tradition der paarweisen Darstellung von Eheleuten, wahrscheinlich weil die Mutter des Knaben bei seiner Geburt 1503 gestorben war. Das Bild des Vaters basiert auf einer vorgefertigten Studie, doch die Darstellung des Knaben wirkt so spontan, dass ihn der Künstler sicher speziell für dieses Gemälde porträtierte. Der Junge, dessen Gesicht ganz dem Betrachter zugewandt ist, schaut mit einem schüchternen und doch stolzen Seitenblick zwischen den fantastischen Straußenfedern seiner Kappe hervor. Sein Kopf ist höher angesetzt als der seines Vaters, und die große Fläche, die von seinem aufwendigen Kostüm eingenommen wird, weist auf seine geringe Größe hin: Ein kleiner Junge, der auf einem Hocker sitzt, um sich von den Erwachsenen begutachten zu lassen.

Cranach in der National Gallery
Cranach war der erste, der mythologische Themen und Akte bei Hof einführte. Beispiele dafür sind *Das Ende des Silbernen Zeitalters?*, 1527–35 und *Venus mit Amor als Honigdieb*, wahrscheinlich aus den frühen 1530ern. Auch die Allegorie der *Barmherzigkeit* ist ein Aktbild, doch das kleine Mädchen trägt eine zeitgenössisch gekleidete Puppe.

Die Straußenfedern des Knaben sind in kühnen dreidimensionalen Wirbeln gemalt, bei denen Cranach stellenweise mit dem Pinselgriff Linien in die nasse Farbe ritzte. Diese kraftvolle Technik verweist auf den lebhaften Charakter des Modells, und die Farberhebungen kontrastieren außerdem mit der subtilen Behandlung der Hauttöne.

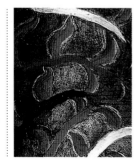

Wo die dekorativen Schlitze das rote Futter von Johann Friedrichs grünem Gewand enthüllen, hat Cranach scharfe dreidimensionale Farbgrate hinterlassen. Es war üblich, dass bei der ersten Sitzung eine Zeichnung des Gesichts angefertigt und die Kleidung dann später an einer Schneiderpuppe „nach dem Leben" gemalt wurde.

12 Tizian (tätig um 1506; gest. 1576)

BACCHUS UND ARIADNE (1521–3)

Öl auf Leinwand, 172,2 × 188,3 cm

Wir haben es hier zweifelsohne mit dem „lautesten" Bild in der National Gallery zu tun, denn nie zuvor ist das heidnische Mythos so intensiv zum Leben erweckt worden. Von Auszügen aus lateinischen, ihm von seinem Gönner Alfonso d'Este zugesandten Dichtungen inspiriert, stellt Tizian hier den Augenblick dar, in dem der Gott des Weines, Bacchus, mit seinem wilden Gefolge von Mänaden und Satyrn aus Indien zurückkehrt und eine von ihrem undankbaren Geliebten Theseus verlassene Ariadne vorfindet. „Da erklingen an der ganzen Küste Zimbeln und Trommeln, geschlagen von rasenden Händen", begleitet vom aufgeregten Bellen von Tizians Hund im Vordergrund. Ungestüm springt der Gott von seinem Wagen, um Ariadne als seine Braut fortzutragen. Sie wird sich in das Sternbild verwandeln, das wir über ihr am Himmel sehen.

Das Gemälde ist Teil einer Serie für Alfonsos Studio, der damit eine antike – wahrscheinlich imaginäre – Bildergalerie nachbilden wollte, wie sie in einem spätantiken Text beschrieben war. Tizian verwendet für diesen Sonderauftrag eine große Auswahl verschiedenster, nur in Venedig erhältlicher Pigmente, wie Arsenrubin und Rauschgelb.

Die Blume unter den Hufen des stolzierenden Fauns, der einen Kalbskopf hinter sich herzieht, ist die Blüte des Kapernstrauchs, der nur in den Spalten von Felsen und Mauern gedeiht. Sie ist ein Symbol der Liebe. Tizians Vorstellungswelt ist wild und verlockend, frei von den Hemmungen der christlichen Moral.

Für die Geparden, die auf diesem Bild Bacchus' Streitwagen ziehen, standen wahrscheinlich Tiere aus Alfonso d'Estes Menagerie Modell. In der Mythologie wird Bacchus bei seiner Rückkehr aus Indien von Leoparden begleitet, doch heißt es, dass alle Großkatzen, auch die Tiger, durch den Wein, das Geschenk des Gottes an die Erdbewohner, gezähmt werden.

Tizian in der National Gallery
Tizian ist mit bedeutenden Werken aus allen Schaffensperioden vertreten: religiösen Bildern (*Noli me Tangere*, wahrscheinlich 1510–5), Einzel- und Gruppenporträts (*Bildnis eines Mannes*, um 1512, *Die Familie Vendramin*, 1543–7), und einem unvollendeten Spätwerk *Der Tod des Aktaion*, um 1565.

13 Lorenzo Lotto (um 1480–nach 1556)

BILDNIS EINER VON LUCRETIA INSPIRIERTEN DAME (um 1532)

Öl auf Leinwand, von einer Tafel übertagen und zugeschnitten, 91,5 × 105,6 cm

Lotto bezog sich oft in Wortspielen auf die Identität seiner Modelle. Die unbekannte venezianische Dame, die den Betrachter so streng anblickt, heißt wohl Lucretia, denn sie zeigt auf eine Zeichnung der Lucretia, der tugendhaften Römerin, die sich erstach, weil sie nicht damit leben konnte, durch eine Vergewaltigung ihrem Gatten untreu gewesen zu sein. Im Gegensatz zu dem für Porträts üblichen Längsformat wählte Lotto oft ein horizontales Format, da er auf diese Weise eine von einem Fenster gerahmte Landschaft neben oder hinter dem Modell einfügen konnte. In diesem Bild wird durch einen Schatten an der Wand deutlich, dass sich ein Fenster als Lichtquelle im Raum des Betrachters, nämlich rechts vor der Leinwand befinden muss. Es ist Lucretias kraftvolle Geste und ihr aufwendiges Kleid, die den ihr zugedachten Raum füllen. Der oben in der Bildmitte plazierte Kopf bildet den Scheitelpunkt einer massigen Pyramide. Ein weiteres Kompositionsmittel – eine kräftige Diagonallinie, die sich von der unteren linken zur oberen rechten Ecke zieht – bestätigt den Eindruck einer beherzten und dynamischen Person, die ihre *eigene* Unschuld durchaus zu verteidigen weiß.

Lorenzo Lotto war einer der exzentrischsten und originellsten Künstler der italienischen Hochrenaissance. Der in Venedig geborene und dort ausgebildete Maler fand seine Inspiration aber auch in der Kunst des europäischen Nordens, und umgekehrt ließ sich der flämische Maler Rubens von seinen Altarbildern in Bergamo inspirieren.

Die Darstellung der Lucretia ist natürlich, genau wie der Rest des Gemäldes, in Öl ausgeführt, doch die geschickte Technik vermittelt den Eindruck einer kolorierten Federzeichnung. In ihrer Nacktheit wäre die Figur ehemals sofort als eine Person aus der römischen Mythologie oder Geschichte erkannt worden.

Die Geschichte der Lucretia entstammt Livius' *Geschichte Roms*, und das Blatt auf dem Tisch enthält ein Zitat daraus (I,58) in römischer Schrift: „Noch soll je eine unkeusche Frau das Beispiel der Lucretia durchleben". Der Goldlack kann eine Anspielung auf die Vergewaltigung Persephones durch den Gott der Unterwelt, Hades, oder auch Sinnbild für eine Liebesgabe sein.

14 Hans Holbein der Jüngere (1497/8–1543)

JEAN DE DINTEVILLE UND GEORGES DE SELVE („DIE GESANDTEN") (1533)

Öl auf Eiche, 207 × 209,5 cm

Dieses große Tafelbild mit seiner außergewöhnlichen Vielfalt an Gegenständen und einem optischen Rätselobjekt im Vordergrund ist eines der frühesten Bildnisse, das zwei Personen in voller Länge zeigt. Es ist ein Lobgesang auf die Freundschaft und die Errungenschaften von Jean de Dinteville (29) zu unserer Linken, dem französischen Gesandten in London, und Georges de Selve (25), dem Bischof von Lavaur, der ihn 1533 in London besuchte. Die beiden Freunde veranschaulichen, jeder auf seine Art, das aktive und kontemplative Leben. Auf dem Regal zwischen ihnen hat Holbein das weite Spektrum ihrer Interessen abgebildet – ein kulturells Kompendium jener Zeit.

Eine Saite der Laute ist allerdings gerissen, ein traditionelles Symbol für die Flüchtigkeit des Lebens. Auf dem Mosaikboden zu ihren Füßen liegt die verzerrte Form eines Schädels, als versteckte Erinnerung an den Tod, der nur sichtbar wird, wenn man seitlich dicht am Bildrahmen steht oder ihn durch einen besonderen Glaszylinder betrachtet. Das vor der Laute aufgeschlagene Gesangsbuch zeigt Martin Luthers Lied *Komm' Heiliger Geist, erwecke unsere Seelen.* Kaum erkennbar in der oberen linken Ecke ist ein Kruzifix. Wenn der Tod dem weltlichen Ruhm ein Ende setzt und Staub zu Staub wird, bietet der christliche Glaube Hoffnung auf ein ewiges Leben.

Holbein hat die Zeichnung des Schädels durch eine geometrische *Anamorphose* verzerrt. Von der Seite oder durch einen Glaszylinder betrachtet erhält er wieder seine normale Form.

Der Globus auf dem unteren Regal trägt in der Mitte von Frankreich den Namen Polisy, wo Jean de Dinteville sein Schloss besaß, das auf Globen jener Zeit sonst nicht eingezeichnet ist. Die Weltkarte entspricht einer, die 1523 in Nürnberg veröffentlicht wurde.

Holbein in der National Gallery
Holbein ist mit vier bedeutenden Porträts vertreten. Das Erasmusporträt ist eine Leihgabe, und bei den beiden anderen handelt es sich um das ganzfigurige Bildnis Christina von Dänemarks, der verwitweten Herzogin von Mailand, das um 1538 für Heinrich VIII. gemalt wurde, und um die Halbfigur einer unbekannten *Dame mit Eichhörnchen und Star*, um 1526–8.

15 Bronzino (1503–1572)

EINE ALLEGORIE MIT VENUS UND AMOR (wahrscheinlich 1540–50)

Öl auf Holz, 146,5 × 116,8 cm

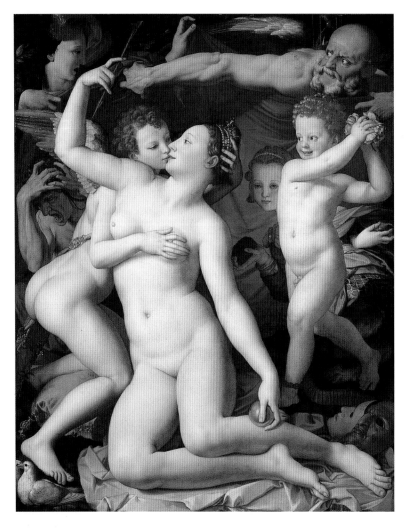

Bronzinos *Allegorie* ist gleichermaßen anziehend wie abstoßend. Dies ist möglicherweise die kühlste, distanzierteste, am wenigsten sinnliche und doch erotischste Darstellung der sexuellen Leidenschaft, die je geschaffen wurde. Das am Hof des Herzogs Cosimo de Medici in Florenz entstandene Gemälde war möglicherweise als ein Geschenk für Franz I. von Frankreich gedacht. Sicher wäre das Deuten der Symbolik für die gelangweilten Höflinge ein willkommener Vorwand gewesen, ausgiebig die verlockenden Körper von Venus und Amor und die schlüpfrigen Details ihrer Umarmung zu bewundern. Die lachende Kinderfigur des törichten Vergnügens bestreut die Liebenden mit Rosenblättern, ohne den Dorn in seiner rechten Ferse zu beachten. Dahinter bietet die Falschheit mit einem hübschen Kopf und einem häßlichen Körper eine süße Honigwabe in der einen Hand dar und verbirgt mit der anderen den Stachel in ihrem Skorpionschwanz. Auf der anderen Seite befindet sich eine dunkle Figur, vielleicht die Eifersucht, aber eher ein Symbol des Leidens (möglicherweise eine Anspielung auf die jüngst in Europa eingeschleppte Syphilis, die epidemische Ausmaße angenommen hatte und mit giftigem Quecksilber behandelt wurde). Das Vergessen, die Figur oben links, versucht , einen Schleier über alles zu legen, wird daran jedoch von Vater Zeit gehindert. Dieses anfangs ansprechende Bild enthüllt nach und nach seine bittere Moral.

Bronzino, der auch viele religiöse Themen malte, war ein Meister der Porträtkunst. Sämtliche Mitglieder von Herzog Cosimos Familie standen ihm Modell, wobei die Porträts der Erwachsenen durch eine vornehme Zurückhaltung, die der Kinder jedoch von einer lebendigen Ausdruckskraft gekennzeichnet sind.

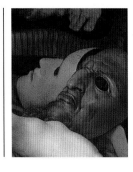

Gegensätzliche Masken aus Komödie und Tragödie wurden in der griechisch-römischen Kunst oft dargestellt, doch die Masken in diesem Gemälde erinnern vielmehr an die Gesichter von Nymphen und Satyrn, die in der heidnischen Mythologie Beute und Räuber in der sexuellen Eroberung personifizieren.

Das Vergessen ist keine Maske, doch fehlt ihr der Hinterkopf. Der pseudowissenschaftlichen Phrenologie zufolge, die die geistigen Fähigkeiten des Menschen anhand der Hirnschalengröße misst, befindet sich dort der Sitz der Erinnerung. Bronzinos allegorische Figuren sind, wie z. B. Zeit und törichtes Vergnügen, auf traditionelle Weise dargestellt, entstammen zum Teil aber anderen Quellen oder sind erfunden.

16 Paolo Veronese (wahrscheinlich 1528–1588)

DIE FAMILIE DES DARIUS ZU FÜSSEN ALEXANDERS (1565–70)

Öl auf Leinwand, 236,2 × 474,9 cm

Der nach seinem Geburtsort Verona als „Veronese" bezeichnete Paolo Caliari wurde einer der führenden Künstler Venedigs. Dank seiner großformatigen Dekorationen, die er für die Kirchen und Paläste der Stadt schuf, entstand der Eindruck, dass sich das Leben im Venedig der Renaissance als eine Abfolge stattlicher Festzüge vor weißem Marmor und einem blauen Himmel entfaltete. Dieses prachtvolle Gemälde, das möglicherweise zum Anlass einer Hochzeit für einen Palast gemalt wurde, stellt eine beispielhafte Episode aus der Antike dar. Es illustriert den Großmut, mit dem Alexander der Große, nachdem er den persischen König besiegt hatte, dessen Mutter, Frau und Kinder behandelte. Als er sie in Begleitung seines besten Freundes und Feldherrn, Hephaestion, aufsuchte, warf sich die Königinmutter Sisygambis, von seiner größeren Statur irre geführt, vor Hephaestion zu Boden. Alexander vergab ihr höflich, indem er sagte: „Es ist kein Fehler, denn auch er ist ein Alexander." Die auf Darius' schöne Frau gerichteten Gesten der Sisygambis und des Höflings könnten sich auf das Nebenthema des Gemäldes beziehen, die legendäre „Enthaltsamkeit" Alexanders, der darauf verzichtete, die Perserkönigin zur Konkubine zu machen. Bei einigen der Figuren, wie denen von Alexander, Hephaestion und der Königinmutter, könnte es sich um Porträts von Familienmitgliedern des Auftraggebers handeln.

Veronese malte zuerst den Hintergrund. Um die sorgsam gruppierten Figuren im Vordergrund dem Betrachter näher zu bringen, wurden die kräftigen Farben dick aufgetragen. Später fügte er zwischen den Figuren einige Pferde hinzu. Da die Ölfarben im Alter aber transparenter werden, schimmern die darunterliegenden architektonischen Elemente nun wieder durch.

Der Page der Königinmutter ist ein Beispiel für das leuchtende Tageslicht, für das Veronse so berühmt ist. Im Gegensatz zur konventionellen Technik verwendet er leuchtendes Rot hinter dem dunklen Umhang der Königin, um dem Betrachter zu zeigen, dass helles Sonnenlicht sogar im Schatten reflektiert wird. Der weiße Hermelinkragen ihres Umhangs „drängt" den Knaben aus dem Vordergrund zurück.

Veronese in der National Gallery Veroneses vier *Allegorien der Liebe*, wahrscheinlich aus den 1570ern, waren als Deckengemälde konzipiert. Um die extreme Entstellung von Figuren zu vermeiden, die entsteht, wenn sich diese direkt über dem Kopf des Betrachters befinden, verwendete der Künstler eine „schräge Perspektive".

DER NORD-FLÜGEL

Von Caravaggio bis Vermeer

D AS 17. JAHRHUNDERT ERFUHR eine Art künstlerische
Explosion. Es entstanden neue Zentren der Malerei,
neue Abnehmer fanden sich für die Bilder und neue
Sujets wurden gemalt. Diese Neuerungen sind vor allem
anhand der holländischen Gemälde im Nord-Flügel sichtbar.
Hier finden wir Flusslandschaften wie Cuyps *Flusslandschaft
mit Reiter und Bauern* und Seestücke, die nicht von Heiligen,
sondern von Rindern und Mägden, Jägern und Reitern bevölkert
sind. Es gibt auch Stadtansichten, Kircheninterieurs (Abb. 1),
üppige Blumen- und Obstkompositionen, Stillleben (Abb. 2)
und häusliche Szenen mit Frauen und Kindern in sauberen
holländischen Interieurs, wie in de Hoochs *Hof eines Hauses
in Delft* und Vermeers *Junge Frau, an einem Virginal stehend.*
Es scheint ganz so, als ob sich die holländischen Künstler
plötzlich ihrer Umgebung bewusst geworden wären, was in
gewisser Hinsicht auch der Fall war. Vom spanischen Joch
befreit, übernahm die holländische Republik den Calvinismus
als Staatsreligion. Da der Reformator Calvin jedoch Bilder in
den Gotteshäusern verbot, verloren die holländischen Künstler
die Kirche als Auftraggeberin und mussten sich andere Abnehmer suchen. Zum Glück machten zunehmender Patriotismus
und wachsender Wohlstand Darstellungen örtlicher Szenen für
den häuslichen Gebrauch immer beliebter. Selbst religiöse
Themen wurden darauf zugeschnitten, denn im Gegensatz zu
den`Katholiken wurden die Protestanten zum Lesen der Bibel

Abb. 2: Harmen Steenwyck
***Allegorie der Eitelkeiten des
menschlichen Lebens*, um 1640**

im eigenen Heim angehalten. Szenen aus dem Alten und Neuen
Testament dienten als Beispiele für tugendhaftes Verhalten
oder zur Warnung, wie im Fall von Rembrandts *Belsazars Gastmahl,* das die schrecklichen Folgen andeutet, die die Schändung
heiliger Dinge und die Verehrung falscher Götter nach sich zieht.

Die Neuerungen waren aber nicht nur auf den protestantischen
Norden beschränkt. Auch im katholischen Rom schuf Caravaggio
mit Werken wie *Das Emmausmahl* einen neuen, dramatischen
Realismus, der mit seinen düsteren Visionen die Malerei in ganz
Europa beeinflusste. Dabei war dieser Einfluss, der z.B. in
Rubens Nachtstück *Simson und Delila* sichtbar ist, aber nicht
nur auf Caravaggio beschränkt, denn auch der flämische Maler
und Diplomat Rubens ließ sich während seines langen Aufent-
halts in Italien von der Kunst des 16. Jahrhunderts und der Antike
inspirieren. Neuerung kann durchaus auch auf Wieder- entdeckung basieren. Dies trifft ebenso auf Velázquez zu, der nun, wie
am Beispiel der *Rokeby-Venus* sichtbar, den Kolorismus und die
freie Pinselführung Tizians übernahm. Tizians glühendster An-
hänger im 17. Jahrhundert war der flämische Katholik van Dyck,
der vor allem für seine hervorragenden Porträts englischer Aristokraten, wie z.B. in *Lord John und Lord Bernard Stuart,* bekannt ist. Poussins poetische Visionen heidnischer Riten in seinem
Bacchantisches Gelage fanden ihre Inspiration nicht nur in Tizian, sondern auch in antiken römischen Wandgemälden.

Mit seinen neuartigen Landschaften und Küstenszenen
führte Poussins Freund und Landsmann Claude Lorrain ein zeit-
gemäßes Thema in die Kunst ein: die Sehnsucht des Nordens
nach der Sonne des Südens und das nostalgische Verlangen ganz
Europas nach einem Goldenen Zeitalter.

Abb. 1: Pieter Saenredam
***Innenansicht der Buurkerk in Utrecht,*
1664**

Malerei von 1600–1700

17 Michelangelo Merisi da Caravaggio (1571–1610)

DAS EMMAUSMAHL (1601)
Öl auf Eitempera auf Leinwand, 141 × 196,2 cm

Dies ist eine von Caravaggios frühesten Darstellungen eines biblischen Themas in zeitgenössischer Form. Zwei schäbige Wanderer, von denen einer die Pilgermuschel trägt, haben einen Mann, der sich ihnen unterwegs angeschlossen hatte, eingeladen, mit ihnen zu essen. Als er das Brot in der Herberge von Emmaus segnet und bricht, erkennen sie in ihm den auferstandenen Erlöser (Lukas 24:13–31). Wir werden Zeugen dieses wundersamen Vorfalls und durch den Obstkorb, der uns in den Schoß zu fallen droht, direkt in die Szene hineingezogen.

Der Stuhl und der zerrissene Ärmel des Jüngers zu unserer Linken und die linke Hand des Jüngers zur Rechten scheinen in unseren Raum vorzudringen. Caravaggio brachte das in seiner lombardischen Heimat Gelernte mit nach Rom: Die dramatischen Beleuchtungseffekte gehen auf Leonardo zurück, ebenso die an dessen *Abendmahl* erinnernde Komposition, die hier in ein an die deutsche Kunst angelehntes realistisches Idiom übersetzt wurde. Und wie Michelangelos Christus im *Jüngsten Gericht* (1537–42?) ist Christus auch hier bartlos.

Caravaggio in der National Gallery
Die frühen römischen Werke des Künstlers wie der *Knabe, von einer Eidechse gebissen*, 1595–1600, charakterisieren Stillleben mit Früchten und Blumen und einzelne Personen in scheinbar erotischen Posen. Nach 1600 malte Caravaggio fast nur noch religiöse Sujets in einem zunehmend dunklen und knappen Stil, wie in *Salome empfängt den Kopf Johannes' des Täufers*, 1607–10.

Der Obstkorb ist typisch für Caravaggios frühen Stil. Bemerkenswert ist nicht nur, wie der Künstler die Illusion kreiert, dass der Korb vom Tisch zu fallen droht, sondern auch die realisitische Ausführung der Früchte aus verschiedenen Jahreszeiten; sie sind gefleckt und wurmig und symbolisieren wahrscheinlich Tod und Sünde.

Die ausgestreckte linke Hand, die in ihrer geschickten Verkürzung in unseren Raum vorzudringen scheint, wirkt größer als die rechte Hand des Jüngers, was die Illusion des abrupten Zurückziehens erhöht. Die dramatische Geste beider Arme parallel zur hell erleuchteten Tischkante wirkt wie ein Pfeil, der auf Christus weist.

BELSAZARS GASTMAHL (um 1636–8)

Öl auf Leinwand, 167,6 × 209,2 cm

Diese dramatische Szene illustriert das fünfte Kapitel aus dem Buch Daniel im Alten Testament. Auf einem Fest des Babylonierkönigs Belsazar wird Wein aus den von seinem Vater Nebukadnezar aus dem Tempel von Jerusalem geraubten goldenen und silbernen Gefäßen getrunken, und es werden heidnische Götter verehrt. Zum Höhepunkt des Fests erscheint von gespenstischer Hand eine mysteriöse Botschaft an der Wand, die nur der jüdische Seher Daniel entziffern kann. Sie sagt die Niederlage – in Wirklichkeit den Tod – Belsazars noch in derselben Nacht und die Teilung seines Königreichs zwischen Medern und Persern voraus. Rembrandt, der Caravaggios *Emmausmahl* sicher nicht kannte, hat hier eine erstaunlich ähnliche Komposition mit dramatisch ausgeleuchteten, um einen Tisch versammelten Halbfiguren geschaffen. Als sich Belsazar entsetzt vom Tisch erhebt, wirft eine unsichtbare, vor dem Bild liegende Lichtquelle einen dunklen Schatten auf sein Gewand. Die Inschrift ist in ein übernatürliches Licht getaucht. Der Aufruhr beim Gastmahl des Königs wurde Jahre später noch akzentuiert, als die Leinwand beschnitten und schief gespannt wurde, so dass der Tisch nun nach oben gerichtet ist und der verschüttetete Wein sich seitwärts und nicht nach unten ergießt.

Die Inschrift an der Wand in hebräischer Sprache lautet MENE MENE TEKEL UPHARSIN. Bibelforscher haben lange darüber spekuliert, warum nur Daniel diese Botschaft entziffern konnte. Rembrandt ist der Meinung seines Freundes Menasseh ben Israel gefolgt, der zufolge die hebräischen Buchstaben vertikal von oben nach unten und von rechts nach links geschrieben worden waren.

Reiche Verzierungen wurden im nassen Zustand in Form heller Linien in die gelben und weißen Farben von Belsazars prächtigem Brokatumhang mit dem Pinselstiel eingekratzt. Die dunkle, nächtliche Tönung des Bildes erzielte Rembrandt durch die Verwendung einer dunkelgrauen Grundfarbe, die an manchen Stellen sichtbar und anderswo mit einer dunklen Lasur bedeckt ist.

Rembrandt in der National Gallery Die Sammlung umfasst an die 20 Gemälde, darunter sein *Selbstbildnis im Alter von 34 Jahren*, 1640, sein *Selbstbildnis im Alter von 63 Jahren*, 1669, das Porträt seiner ersten Frau *Saskia van Uylenburgh*, 1635, und das seiner Gefährtin *Hendrickje Stoffels*, 1654–6.

19 Nicolas Poussin (1594–1665)

BACCHANTISCHES GELAGE (1630–4)

Öl auf Leinwand, 99,7 × 142,9 cm

Zum „Maler-Philosophen" von Rom wurde Poussin, der ungebildete Sohn eines Gerbers aus der Normandie, wohl eher durch Beharrlichkeit als durch eine natürliche Begabung. Dieses Gemälde stammt aus einer Serie, deren Inspiration die von Tizian für Alfonso d'Este geschaffenen und Anfang der 1620er nach Rom gebrachten Bilder (s. *Bacchus und Ariadne*) waren. Es ist daraus auch Poussins eingehendes Studium antiker Skulpturen und Vasen mit Darstellungen heidnischer Riten ersichtlich. Wir sehen hier Nymphen und Hirten in trunkenem Tanz vor der bekränzten Figur des Pan oder Priapus, Gottheiten des Waldes und der Gärten, die mit Bacchus, dem Gott des Weines, assoziiert werden. Phallische Hermen wie diese wurden in römischen Gärten als Fruchtbarkeitssymbole aufgestellt. Wie die Weinrebe symbolisiert auch Bacchus die Wiedergeburt der Natur im Frühling. Ein Satyr umarmt eine lachende Nymphe, und die rotnäsige Nymphe zu unserer Linken presst Traubensaft in die Schalen von zwei taumelnden Putten. Bacchantische Figuren wie diese zierten oft als Zeichen der Unsterblichkeit römische Särge. Durch die Bäume ist in relativer Entfernung ein in atmosphärischem Blau gehaltener Hintergrund sichtbar, was ebenfalls an Tizian erinnert. In Anlehnung an klassische Reliefs sind die Bewegungen der Tanzenden in einem vermutlich statischen Moment festgehalten, bevor die Füsse wieder den Boden berühren.

Poussin in der National Gallery Poussin verwendete die zentrale Gruppe in umgekehrter Form in seinem *Tanz um das goldene Kalb*, 1634–5. Die Sammlung umfasst an die zehn Gemälde des Künstlers, auch mit religiösen Themen wie *Die Anbetung der Hirten*, um 1634, und *Die Verkündigung*, 1657.

Bei dem Satyr könnte es sich um Pan selbst handeln. Diese primitive und lustvolle Gottheit, halb Mensch, halb Bock, wird in der antiken Kunst oft dem Sonnengott Apollo, dem Träger der Kultur, gegenübergestellt. Als Gott der Herden und Wälder konnte er Wanderer und Vieh durch sein plötzliches Auftauchen oft in „panischen" Schrecken versetzen.

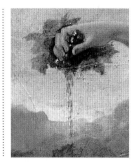

Die Trauben in der Hand der trunkenen Nymphe und der Saft daraus helfen, den Vordergrund vom atmosphärisch blauen Hintergrund zu trennen. Diese Technik, bei der sich ein dunkler Gegenstand vom Himmel abhebt, wird *Repoussoir* genannt, was vom französischen „zurückstossen" stammt.

SIMSON UND DELILA (um 1609)

Öl auf Holz, 185 × 205 cm

Die Geschichte von Simsons Verrat wird im Alten Testament (Richter 16:4–6, 16–21) erzählt. Von seinen Feinden, den Philistern, bestochen, verleitet ihn Delila dazu, die Quelle seiner übernatürlichen Kraft zu enthüllen: sein langes Haar. Als er während einer Liebesnacht in ihrem Schoß schläft, ruft sie einen Barbier herein, der ihm „die sieben Locken seines Hauptes" abschneidet. Soldaten warten bereits, um ihn gefangen zu nehmen und zu blenden. Dieses Gemälde, das flämische und italienische Traditionen kunstvoll verbindet, entstand kurz nach Rubens' Rückkehr aus Italien. Es sollte über dem Kamin im Salon seines Freundes Nicolaas Rockocx hängen. Die Figuren Simsons und Delilas und die Statue von Venus und Amor gehen auf Michelangelo und antike Skulpturen zurück, während die mannigfaltigen Lichteffekte auf den verschiedenen Oberflächen für die niederländische Kunst typisch sind (die Lichtreflexe im unteren Bildabschnitt ahmen das Flackern des Feuers im Kamin nach). Die verhängnisvolle Leidenschaft eines Mannes für eine Frau wird in der niederländischen Kunst oft behandelt, doch die stattliche Größe von Rubens Vordergrundfiguren ist italienischen Ursprungs.

Rubens bringt nach nordeuropäischer Tradition die Figur einer in der Bibel nicht genannten Kupplerin ins Bild. Dass ihr Profil neben dem der jugendlichen Hure erscheint, gibt uns einerseits einen Hinweis auf ihre eigene Vergangenheit und spielt andererseits auf Delilas Zukunft an.

Der Barbier schneidet Simsons Haar mit einer eigentümlich delikaten Geste, die Rubens sicher in der Praxis studiert hat. Rubens ist ein großer Erzähler, und so findet der Betrachter in den Gesichtern der Charaktere ein Spektrum unterschiedlicher Emotionen – von der Konzentration des Barbiers über die Habgier der Kupplerin bis zu Delilas mehrdeutigem Ausdruck, der Sinnlichkeit, Triumph und Mitleid verbindet.

Rubens in der National Gallery
Als führender nordeuropäischer Maler arbeitete Rubens für die Regenten der Südlichen Niederlande, die französische Königinmutter und die Monarchen Spaniens und Englands, von denen er in den Ritterstand erhoben wurde. Die National Gallery besitzt an die 30 Gemälde, die entweder ganz von ihm oder zusammen mit seinen Schülern gemalt wurden.

LORD JOHN UND LORD BERNARD STUART (um 1638)

Öl auf Leinwand, 237,5 × 146,1 cm

Zu Beginn des Jahres 1639 traten die beiden Stuart-Brüder, die Cousins von Karl I. und jüngeren Söhne des Grafen von Lennox, eine dreijährige Reise durch Europa an. Sie müssen van Dyck kurz vor ihrer Abreise Modell gestanden haben. Beide sollten einige Jahre später im Bürgerkrieg sterben, was dem Bild, wie vielen von van Dycks Porträts von Royalisten, im Nachhinein eine gewisse Wehmut verleiht. Seit seiner Ankunft am englischen Hof hatte der Künstler einen neuen Porträttypus entwickelt, das Doppelporträt, das eine Freundschaft (s. *Die Gesandten*), nicht immer zwischen Verwandten, dokumentiert. Die beiden Figuren stehen in einem harmonischen Kontrast zueinander: Der ältere Lord John (1621–44) in warmem Gold und Braun steht etwas erhoben an einen Pfeiler gelehnt, während sich Lord Bernard (1622–45) in kühlem Silber und Blau über den bestiefelten, mit Spitzen und Fransen geschmückten Beinen leicht von ihm abwendet. Ihre Gesichter mit den für die Stuarts so typischen langen Nasen sind in spiegelbildlichem Dreiviertelprofil zu sehen; die diagonale Anordnung der Köpfe wiederholt sich in der imaginären Linie, die Lord Johns rechte mit Lord Bernards linker Hand verbindet. Van Dycks kompositorische Fähigkeit wird lediglich von seinem Vermögen übertroffen, Satin, Spitze, Ziegenleder und aristokratischen Hochmut einzigartig wiederzugeben.

Van Dyck in der National Gallery
Die Sammlung umfasst an die 20 Werke, darunter Porträts, die in Antwerpen (*Bildnis des Cornelis van der Geest,* um 1620), in Rom (*George Gage mit zwei Dienern,* wahrscheinlich 1622–3), in Genua (*Die Balbi-Kinder,* 1625–7), in Brüssel (*Abt Scaglia vor der Madonna mit Kind,* 1634–5) und in London (*Reiterbild Karls I.,* 1637–8) gemalt worden sind.

Ziegenlederhandschuhe waren kostspielige Accessoires. Lord Bernard hält seinen rechten Handschuh nachlässig in seiner behandschuhten Linken, eine Geste, mit der der Künstler die geschmeidige Weichheit des Leders wiedergeben kann. Van Dycks flimmernder Pinselduktus erinnert an Tizian. Seine Darstellung der mühelos trägen Eleganz beruht auf dem Ideal des englischen „Gentleman".

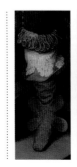

Spitzen, Goldbordüren und Reitstiefel waren wie die Handschuhe Luxusartikel, die sich nur die ganz Reichen und Aristokraten leisten konnten. Mit ihren gespornten Stiefeln sind die beiden Brüder zum Ausritt bereit. Lord Bernards Stiefel haben eine zweite, möglicherweise abnehmbare Ledersohle, die wahrscheinlich verhindern soll, dass sich die Absätze beim Stehen unter seinem Gewicht ausweiten.

DIE TOILETTE DER VENUS („DIE ROKEBY-VENUS") (1647–51)

Öl auf Leinwand, 122,5 × 177 cm

Obwohl die Sammlung des spanischen Königshauses reich an nackten mythologischen Figuren der venezianischen Renaissancemeister war, wurde der weibliche Akt in der spanischen Kunst aufgrund der Angst der Maler vor der Zensur der Kirche nur selten dargestellt. Von den beiden Aktbildern, die Velázquez gemalt hat, existiert nur noch dieses, das somit in Spanien über Jahrhunderte einzigartig war. Obwohl man darin Anklänge an Tizians zahlreiche Versionen der *Toilette der Venus* und seiner *Liegenden Venus* findet, ist dieses Werk doch völlig anders. Nach der schmalen Taille, den ausladenden Hüften und der neuzeitlichen Frisur zu schließen, hat Velázquez

diese Venus mit ziemlicher Sicherheit nach dem Leben gemalt. Nur die Anwesenheit des drallen und unschuldig ehrerbietigen Amor verwandelt sie in eine Göttin. Das eigentliche Thema des Bildes ist die Reflexion: Venus reflektiert über ihre Schönheit, die im Spiegel reflektiert wird; da der Betrachter ihr Gesicht sehen kann, wird auch sie ihn sehen können (und das Gemälde war ganz sicher für einen männlichen Betrachter bestimmt). Somit könnte man sich vorstellen, dass sie auch über ihre Wirkung auf ihn reflektiert. Und nicht zuletzt reflektiert der Künstler, indem er den Spiegel vorhält, die lebendigen Farben und Strukturen seiner Kunst.

Ein einzelner schwarzer Pinselstrich zeigt die Falte im Satintuch an, auf dem die Venus liegt. Das in den Glanzpunkten sil-

briggrau gehaltene schwarze Tuch reflektiert ihre leuchtende Haut, die wiederum auf dem glänzenden Stoff reflektiert wird.

Die Reflexion des Gesichts der Venus im Spiegel ist optisch falsch. Der mit den optischen Lehren vertraute Künstler wusste mit Sicherheit, dass das hier reflektierte Spiegelbild nur halb so groß hätte sein dürfen. War der Künstler hier absichtlich zweideutig? Ist es eine Reflexion oder ein lebensgroßes Porträt, in dem sich die Venus selbst reflektiert sieht?

Velázquez in der National Gallery Eines der neun Werke von Velázquez in der Sammlung ist ein frühes *bodegón*, das Figuren mit einem Stillleben verbindet – *Küchenszene mit Christus im Hause von Martha und Maria,* wahrscheinlich um 1618, wurde in Sevilla gemalt. Daneben das berühmte Porträt *Philipps IV. von Spanien in reichem Kostüm,* um 1631–2.

23 Claude (1604/5?–1682)

Seehafen mit der Einschiffung der hl. Ursula (1641)

Öl auf Leinwand, 113 × 149 cm

Claude Lorrains idealisierte Landschaften waren so einflussreich, dass sie nicht nur in Gemälden sondern auch in Gärten und Parkanlagen imitiert wurden. Die Beschreibung seiner Werke durch Sandrart, einem deutschen Künstler, der ihn auf Zeichenausflügen in die Umgebung Roms begleitete, ist unübertroffen: „[er] malte nur im kleinen Format, der Blick von der mittleren bis in die größte Entfernung und gegen Horizont und Himmel hin verblassend". Wie viele von Claudes Werken war diese morgendliche Hafenszene mit einem nachmittäglichen Landschaftsbild gepaart, das sich in Hartford, Connecticut befindet. Das Gemälde zeigt die Einschiffung der hl. Ursula zu ihrer Pilgerfahrt mit ihren 11.000 jungfräulichen Begleiterinnen nach Rom. Sie alle fanden auf ihrer Rückreise durch Deutschland den Märtyrertod.

Claude in der National Gallery
Claude Gellée, nach seinem Geburtsort Lorrain genannt, war der erste Landschaftsmaler von internationalem Ruf. Seine Werke, von denen die Sammlung 13 umfasst, waren bei den Europareisenden aus England im 18. Jh. so beliebt, dass sich auch heute noch viele auf englischen Landsitzen befinden.

Das Mastengewirr der Schiffe, die Ursula und ihre 11.000 Begleiterinnen dem Martyrium entgegenführen werden, lässt den Himmel noch heller erscheinen. Claudes größte Neuerung war die Harmonisierung von Licht und Raum. Die einzige Lichtquelle ist die aufsteigende Sonne, die sich fast mit dem Fluchtpunkt am Horizont deckt, auf den alle Linien zulaufen.

Das leuchtend satte Blau der Kniehosen des Stauers im Vordergrund ist dasselbe Blau, das Claude im ganzen Bild immer wieder verwendet, z.B. für die Flaggen der Schiffe, wo er sie im Verhältnis zur Tiefe der Perspektive mit immer mehr Weiß mischt. Die Intensität der Farben nimmt im selben Verhältnis ab wie die Größe der Figuren und Objekte.

24 Aelbert Cuyp (1620–1691)

FLUSSLANDSCHAFT MIT REITER UND BAUERN (wahrscheinlich 1650–60)

Öl auf Leinwand, 123 × 241 cm

Dieses wahrscheinlich größte und schönste von Cuyps Landschaftsbildern sollte vielleicht ursprünglich in einem geräumigen Stadthaus in Dordrecht, dem Geburtsort des Künstlers, über einer Wandtäfelung hängen. Cuyp, der selber nie in Italien war, stand unter dem Einfluss der italienisch geprägten holländischen Landschaftsmaler. Diese Szene ist in das honigfarbene Licht der italienischen Campagna, der von Claude in seinen Werken verewigten Landschaft um Rom, getaucht. Neben dem Licht mögen Cuyps Auftraggebern weitere Aspekte exotisch erschienen sein, wie z.B. die hohen Berge, die in den Niederlanden nirgendwo zu finden sind, und

das romantische Schloss. Ganz links ist ein Jäger im Begriff, den goldenen Frieden des Nachmittags zu stören. Damals war die Jagd in den Vereinigten Provinzen weitgehend ein Privileg des Adels, und die Anspielung des Schlosses auf feudale Würde sollte offenbar dem Geschmack der Besitzer des Bildes, ob von Adel oder mit aristokratischen Ambitionen, schmeicheln. Als dieses Bild 1760 nach England kam, löste es eine Welle der Begeisterung aus. Ihm folgten viele von Cuyps besten Arbeiten, die die englische Landschaftsmalerei maßgeblich beeinflussen sollten.

Der Reiter überwacht seine zufriedenen Herden und seine glücklichen Bauern, wohl eine Anspielung auf Cuyps eigene gesellschaftlichen Ambitionen. Cuyp war der Lieblingsmaler von Dordrechts führender Schicht. Nach seiner Heirat mit einer wohlhabenden Witwe wurde er Diakon der Reformierten Kirche, nahm zahlreiche hohe Ämter an und widmete sich immer weniger der Malerei.

Rinder waren eine der Hauptquellen des holländischen Wohlstands. Sie sind in Cuyps idyllischen Landschaften und Ansichten von Dordrecht, oft mit melkenden Mägden, immer wieder zu finden. Holland selbst wurde oft durch eine Milchkuh, als Sinnbild von Frieden und Überfluss, symbolisiert.

Cuyp in der National Gallery
Von den 11 Gemälden in der Sammlung wurde *Die Maas zu Dordrecht im Gewitter*, um 1645–50, trotz seines Realismus und lokalen Interesses sicher von Plinius' Erzählung vom Maler Apelles, der Jupiters Blitze darstellen, inspiriert.

HOF EINES HAUSES IN DELFT (1658)

Öl auf Leinwand, 73,5 × 60 cm

Pieter de Hooch malte die beliebtesten seiner Bilder wie dieses in Delft. Er zelebriert darin die häusliche Sphäre der holländischen Bürgerfrauen, ihrer Kinder und Dienstmädchen in einer Umgebung, die so sauber ist, wie sie vom Künstler peinlich genau geschildert wird. Die hier erdachte Szene, die sich sowohl im Freien als auch im Hausinneren abspielt, gibt den Blick durch einen Eingang auf einen Kanal frei. Der Künstler nutzt dies zu einer subtilen Nuancierung des Tageslichts und verspricht dem Betrachter weitere verlockende Ausblicke durch einen scheinbar geschlossenen Raum. Gegen die helle Wand zeichnet sich eine Hausfrau ab, mit der wir zum dunklen Fenster ihrer Nachbarin schauen. Ein hellbrauner Malgrund gibt dem Bild einen warmen Glanz, der in den Backsteinen der Mauer und des Pflasters und dem halb sichtbaren Fensterflügel zur Linken in einen rötlichen Ton wechselt. Haus und Hof sind alt, das primitive Spalier in schlechtem Zustand. Der Besen, der offensichtlich gerade noch benutzt wurde, liegt am Boden, doch die Magd hat ihre Aufmerksamkeit dem kleinen Mädchen zugewandt und belehrt es liebevoll durch Wort und Vorbild. Die Inschrift auf der Steintafel versichert uns, dass das geduldige Leben des häuslichen Dienstes genauso sicher in den Himmel führt wie ein offenkundiger religiöser Gehorsam.

De Hoochs Frühwerke, die er in seinem Geburtsort Rotterdam malte, behandeln Wachlokal- und Tavernenszenen mit Soldaten und Mägden. Nach seinem Umzug von Delft nach Amsterdam 1660 stellte er das elegante Stadtleben dar, wobei er, wie bei seinem *Musizieren im Hof*, 1677, die tonalen Kontraste zwischen Hell und Dunkel stark akzentuierte.

Die Steintafel über dem Bogen ist noch erhalten und befand sich ursprünglich über dem Eingang des Hieronymustal-Klosters in Delft. Die originale Inschrift lautet: „Dieses ist im Tal des heiligen Hieronymus, wenn du dich zu Geduld und Bescheidenheit zurückziehen möchtest. Denn wir müssen erst hinabsteigen, wenn wir emporgehoben werden wollen."

Das Farbengleichgewicht hat sich mit der Zeit durch das Verbleichen gelber und blauer Pigmente geändert. Ursprünglich wirkte das in blauen und gelben Farben gehaltene Blattwerk dieses Bildes viel grüner, der Himmel heller und der blaue Rock der Magd kräftiger und weniger transparent.

JUNGE FRAU, AN EINEM VIRGINAL STEHEND (um 1670)

Öl auf Leinwand, 51,7 × 45,2 cm

Insgesamt sind nur etwa 35 Bilder des Künstlers verzeichnet, denn er arbeitete langsam, führte einen Gasthof, bekleidete ein städtisches Amt und arbeitete als Kunsthändler. Wie de Hooch ist er für seine kleinformatigen Genreszenen berühmt, wobei er die Frauen jedoch eher bei der Muße als bei der Hausarbeit darstellte. Seine frühesten Arbeiten, wie *Christus im Haus von Martha und Maria* (heute in Edinburgh) sind große dramatische Erzählungen, die von den italienisierenden Malern aus dem katholischen Utrecht beeinflusst wurden. Auch seine Szenen aus dem „Alltagsleben" enthalten weiterhin erzählende und allegorische Elemente. Die junge Frau schlägt die Tasten des Virginals an – eine kleinere Form des Cembalos – schaut aber erwartungsvoll aus dem Bild heraus. Musik ist die „Nahrung der Liebe", und der leere Stuhl verweist auf die Abwesenheit von jemandem, der vielleicht in der Ferne durch jene Berge reist, die auf den Bildern an der Wand und auf dem Deckel des Virginals dargestellt sind. Der eine Spielkarte oder Tafel empor haltende Amor auf dem anderen Bild im Hintergrund ist nach einem zeitgenössischen holländischen Emblembuch mit dem Symbol der Treue zum Geliebten assoziiert worden. Das häufig behandelte Thema eines Mädchens, das von ihrem abwesenden Liebhaber träumt, wird von Vermeer hier durch den subtilen geometrischen Aufbau und das den ganzen Raum durchflutende Licht poetisch verwandelt.

Die Fußleiste über dem grau geäderten und schwarzen Marmorboden besteht aus Delfter Fliesen. Tonwaren, die vor allem blau-weißes chinesisches Porzellan der Ming-Dynastie aus dem Beutegut holländischer Handelsschiffe imitierten, wurden zu Beginn des 17. Jhs. in Delft hergestellt.

Das Gesicht der jungen Frau setzt sich aus feinen, in den Glanzpunkten leuchtenden Farbtupfern zusammen. Es heißt, dass dieses Fehlen einer linearen Definition auf Vermeers Verwendung einer Camera obscura zurückzuführen sei. Die Bilder entfernter Objekte werden dabei durch eine konvexe Linse auf eine weiße Oberfläche projiziert. Das Ergebnis ist ein leicht verschwommenes Bild mit starken tonalen Kontrasten.

Vermeer in der National Gallery
Von Vermeers *Junge Frau, am Virginal sitzend,* um 1670, heißt es, dass es als gegensätzliches Pendant zu diesem Bild gemalt wurde. Das Gemälde einer Bordellszene an der Wand hinter der jungen Frau verweist möglicherweise auf ihre käufliche Liebe.

DER OST-FLÜGEL

Von Canaletto bis Cézanne

ZWISCHEN DEN GEMÄLDEN in diesem und dem Nord-Flügel gibt es erstaunliche Zusammenhänge: die große, dramatisch ausgeleuchtete, um einen Tisch gruppierte Szene in Wright of Derbys *Experiment mit einem Vogel* erinnert an Caravaggio oder Rembrandt, frühere Gemälde finden in Ingres *Madame Moitessier* ihren Widerhall, während Constables *Das Kornfeld* und Turners *„Fighting Temeraire"* die Landschaften und Hafenszenen von Claude Lorrain in Erinnerung rufen. Doch selbst in den frühesten dieser Werke lassen sich Neuerungen erkennen. Wright of Derby illustriert keine Episode aus der Bibel, sondern eine Szene aus dem modernen Leben, keinen Akt Gottes, sondern einen wissenschaftlichen Versuch. Turner preist ein erfolgreiches Schlacht-schiff und damit die Entwicklung der Dampfkraft und keinen heroischen Heiligen; Constables Feld reift unter einem englischen Himmel, ohne auch nur den Schimmer einer römischen Ruine. Selbst wenn *Madame Moitessier* an eine antike Göttin erinnert, dann tut sie dies in der neuesten Pariser Mode des Zweiten Empire. Stubbs' *Whistlejacket* hat keinen siegreichen König oder General zum Thema, sondern ein erfolgreiches Rennpferd. Hier wird in einer überlieferten Bildsprache über zeitgenössische Dinge gesprochen – wobei sich bald auch die Sprache ändern wird. In den leuchtenden Farben, dem breitflächigen Pinselduktus und der scheinbaren Spontanität der impressionistischen Bilder (Abb. 1) ist dieser Wandel in den Räumen des ausgehenden 19. Jahrhunderts am deutlichsten sichtbar. Monets als Skizze konzipierte *Badende bei La Grenouillère* wird in ein fertiges Gemälde umgesetzt: in eine Malerei, die ebenso flüchtig erscheint wie die Szene, die sie aufzeichnet (es wird den Betrachter vielleicht erstaunen, dass das Gemälde fast 150 Jahre alt ist). Neue Errungenschaften in Wissenschaft und Technik inspirierten Wright of Derby und Turner, wobei sich derartige Entwicklungen aber auch in der Malweise der Impressionisten direkt niederschlugen. Ihre Bilder gehen von neuen optischen Prinzipien aus, gestützt auf künstliche Pigmente und neuartige Pinsel mit flachen Metall-zwingen, die es nun zu kaufen gab. Aufrollbare Farbtuben können mit ins Freie genommen werden, und die Maler kön-nen sich nun aufs Land zurückziehen, da ihr Bedarf von Händlern gedeckt wird und keine Lehrlinge oder Assistenten mehr erforderlich sind. Kunsthändler bringen ihre Arbeiten an den Kunden. Auch Entwicklungen im Handel beeinflussten die Kunst, so dass selbst tief in der europäischen Kunst ver-wurzelte Maler mit Neuem konfrontiert wurden. In den japanischen Drucken mit ihrer „schwebenden Welt" der Theater, Teehäuser und Bordelle fand Degas die Inspiration zu Thema und Komposition seiner *Miss La La im Cirque Fernando,* während van Gogh von den japanischen Naturdarstellungen beeinflusst wurde (Abb. 2). Doch es sind weder Kontinuität noch Neuheit, die in den Gemälden hier am stärksten zum Ausdruck gebracht werden. Wenn wir betracht-en, wie sehr Seurat in seinen *Badenden bei Asnières* in Piero della Francescas Schuld steht und dann an alle Meisterwerke der europäischen Malerei in den anderen Flügeln zurück-denken, dann ist es die unbegrenzte Fähigkeit der Kunst, sich zu wandeln und zu erneuern, die uns bewegt und in Begeisterung versetzt.

Abb. 1: Edouard Manet
Ecke in einem Konzertcafé, um 1878–80 (?)

Abb. 2: Vincent van Gogh
Sonnenblumen, 1888

Malerei von 1700–1900

WHISTLEJACKET (1762)

Öl auf Leinwand, 282 × 246,4 cm

Dieses nahezu lebensgroße Bildnis eines sich aufbäumenden Pferdes gilt als Stubbs' Meisterwerk. Der Marquess of Rockingham, ein Besitzer und Kenner von Rennpferden – was auch seinen Enthusiasmus für Stubbs erklärt – gab das Bild neben anderen Reitszenen bei Stubbs in Auftrag. Der Künstler, der sich eingehend mit dem Studium der Anatomie von Pferden befasst hatte, war auf diese Art von Bildern spezialisiert.

Whistlejacket, der 1749 zur Welt kam, hatte von beiden Elternteilen arabisches Blut geerbt. Rockingham erwarb ihn Ende der 1750er und verwendete ihn als Zuchthengst, nachdem er 1750 ein mörderisches, über 6 Kilometer ausgetragenes und mit 2.000 Guineen dotiertes Rennen gewonnen hatte. Stubbs malte ihn zu jener Zeit zweimal, das zweite Mal mit einem Stallburschen und zwei anderen Hengsten. Zehn Jahre nach der Fertigstellung des Bildes kursierte das Gerücht, dass der Grund für den Unterschied zwischen dem präzise ausgeführten, dreidimensionalen Pferd und dem außergewöhnlich neutralen Hintergrund darin lag, dass es als Reiterbild Georgs III. gedacht war, Rockingham die Idee aber aufgab, als er 1766 als Premierminister abgesetzt wurde. Doch diese Hypothese wird weder von den Daten noch vom Bild selbst unterstützt. Sie beruht wahrscheinlich auf der Tradition der königlichen Reiterbilder, in denen die Levade, die stolzeste Stellung in der Dressur, und die der natürlichen Stellung Whistlejacks hier ähnlich ist, demonstriert wurde.

Stubbs in der National Gallery
Die Sammlung umfaßt zwei wesentlich kleinere Bilder, die Porträts von Menschen und Pferden in einer Landschaft, die Stubbs üblicherweise im nachhinein um die Figuren herum hinzufügte. Es handelt sich dabei um *Die Familien Milbanke und Melbourne*, um 1769, und *Herr und Dame in einem Zweispänner*, 1787.

Die Schatten von Whistlejackets Hinterhufen bilden den einzigen Hinweis auf einen dreidimensionalen Raum; eine horizontale Fläche, die das Gewicht des Pferdes trägt. Sie konzentrieren die Aufmerksamkeit aber auch auf die starken Hinterbeine und die feinen, für Araberpferde typischen Hufe, und deuten die Richtung des einfallenden Lichts an.

Whistlejackets Kopf ist für Araberpferde typisch: Er ist klein, mit vorstehenden Augen und breiten Nüstern. Die Pferde waren für ihre Ausdauer, ihre Intelligenz und ihren Charakter hoch geschätzt. Unter Jakob I. und Karl I. wurden 43 Stuten importiert und deren Nachkommenschaft im *General Stud Book* aufgenommen.

Experiment mit einem Vogel in der Luftpumpe (1768)

Öl auf Leinwand, 182,9 × 243,9 cm

Der in Derby, unweit von Englands erster großer Fabrik geborene Wright, wurde zum ersten Dichter-Maler der industriellen Revolution. Von den „Meistern des Kerzenlichts" – den holländischen Nachfolgern Caravaggios, von denen einige in England tätig waren – inspiriert, interpretierte er industrielle oder wie hier wissenschaftliche Sujets als dramatisch ausgeleuchtete Nachtszenen. Ein charismatischer „Naturwissenschaftler" – ganz die Figur Gottvaters in der traditionellen religiösen Kunst – demonstriert hier die Wirkung eines Vakuums. In einem Kolben, aus dem die Luft abgesaugt worden ist, ringt ein weißer Kakadu um sein Leben. Sein Überleben liegt in Händen des gottähnlichen Wissenschaftlers. Im Vertrauen, dass der Vogel gerettet wird, holt der Junge am Fenster den Käfig herunter. Ein Paar zu unserer Linken ist ganz in sich selbst versunken, doch alle übrigen Personen reagieren auf den Todeskampf des Tieres. Das Thema der Sterblichkeit wird durch den menschlichen Schädel, der sich in einem von einer Kerze hell erleuchteten Glas befindet, noch verdeutlicht.

Das junge Paar links im Bild sind Mary Barlow und Thomas Coltman, die im folgenden Jahr heiraten sollten. Ihr Doppelbildnis *Mr und Mrs Thomas Coltman*, um 1770–2, ist das zweite der beiden Bilder Wrights in der Sammlung. Mary Coltman starb 1786, und Thomas Coltman, der bis 1826 lebte, heiratete in zweiter Ehe.

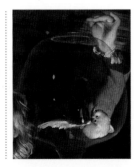

Der Kakadu wird gerettet, wenn das Ventil oben am Kolben geöffnet wird und Luft eintreten kann. Die Luftpumpe wurde um 1650 von Otto von Guericke erfunden. Daneben liegt eine andere Erfindung Guerickes: ein Paar Magdeburger Halbkugeln, die, hält man sie zusammen und entzieht die Luft zwischen ihnen, unzertrennbar werden.

Joseph Wright sah bei einem Italienaufenthalt (1773–5) angeblich einen Ausbruch des Vesuv, in Folge dessen er dann in sein Repertoire nächtlicher Szenen in Hufschmieden, Eisenschmieden, Glasbläsereien, Hochöfen und Baumwollfabriken auch Vulkanausbrüche aufnahm. Er malte aber auch zahlreiche Porträts von Freunden, bei denen es sich zumeist um Industrielle und Ingenieure handelte.

29 John Constable (1776–1837)

DAS KORNFELD (1826)

Öl auf Leinwand, 142,9 × 121,9 cm

Unser Blick folgt hier Fen Lane, einem Weg, der von Constables Geburtsort East Bergholt nach Dedham führte. Ein Hirte trinkt aus einem Bach, der Hund bellt einem Vogel nach, und die Schafe gehen auf ein offenes Tor zu, hinter dem ein Kornfeld mit den Erntearbeitern liegt. Als Constable das Bild 1827 ausstellte, trug es den Titel *Landschaft, Mittag* und eine Zeile von Thomsons berühmten Gedicht, *Sommer:* „während nun ein frischerer Wind mit schattigen Stößen über die Kornfelder fegt". Das Gemälde, das nach seinem Tod 1837 mit öffentlichen Spenden aus Constables Nachlass erworben und der National Gallery übergeben wurde, war das erste seiner Werke in einer öffentlichen britischen Sammlung. Für viele ist es auch heute noch das bekannteste und beliebteste Bild des Künstlers, das einen typisch englischen Sommertag und eine typisch englische Landschaft darstellt. Und das, obwohl das Bild wie alle übrigen von ihm ausgestellten Gemälde nach einzelnen Skizzen in seinem Londoner Studio gemalt wurde. Das für Landschaften ungewöhnliche Längsformat unterstreicht die majestätische Höhe der Bäume. Vorlage zu dieser Komposition war Claude Lorrains *Hagar und der Engel* von 1646, ein Werk, das sich ebenfalls in der National Gallery befindet und Constable ursprünglich zur Landschaftsmalerei inspirierte.

Constable in der National Gallery Der Großteil von Constables Gemälden ist in Tate Britain und im Victoria & Albert Museum zu finden. Unter den sechs Werken in der Sammlung der National Gallery befinden sich der berühmte *Heuwagen,* 1821, und die Ölskizze *Die Bucht von Weymouth mit Jordon Hill,* die wahrscheinlich 1816 auf Constables Hochzeitsreise entstand.

Der Junge, der aus dem Bach trinkt, ist ein von Wordsworth geprägtes Symbol der sorglosen Kindheit in freier Natur. Der rote Farbfleck im Vordergrund ist aber auch ein Hinweis darauf, dass Rubens' *Herbstlandschaft mit Ansicht von Het Steen am frühen Morgen,* um 1636, und Claude Lorrains *Hagar,* die Constables Gönner Sir George Beaumont gehörten, bei diesem Bild Pate gestanden haben.

Obwohl Constables Bilder wie die Claude Lorrains eher erdachte und keine realen Darstellungen bestimmter Orte waren, handelt es sich bei dem im Hintergrund sichtbaren Dorf wahrscheinlich um Dedham.

30 Joseph Mallord William Turner (1775–1851)

DIE FIGHTING TEMERAIRE WIRD ZUM LETZTEN LIEGEPLATZ GESCHLEPPT, 1838 (vor 1839)

Öl auf Leinwand, 90,8 × 121,9 cm

Turner stellte dieses Bild 1839 mit dem Zitat „Die Fahne, die der Schlacht und See trotzte, ist nicht länger ihr eigen" aus. Die *Temeraire*, die sich 1805 in der Schlacht von Trafalgar gegen die Franzosen ausgezeichnet hatte, musste dem Dampfzeitalter weichen. Sie wurde für ihren Holzwert an einen Londoner Schiffsverschrotter verkauft und nach Rotherhithe abgeschleppt. Es heißt, dass Turner Zeuge dieser letzten Reise war, wofür es allerdings keine Anhaltspunkte gibt. Viel wahrscheinlicher ist, dass das Bild seiner Phantasie entsprang – als eine patriotische Abhandlung, eine Hommage an ein heroisches Zeitalter, eine Besinnung über die Vergänglichkeit und eine moderne Herausforderung an Claude Lorrains majestätisch strahlende Hafenszenen. Im Licht der untergehenden Sonne und eines blassen aufgehenden Mondes gleitet eine geisterhafte *Temeraire*, gezogen von einem schwarzen Schlepper, der Feuer und Ruß speit, langsam in den Tod.

Auf seiner Suche nach den strahlendsten Sonnenfarben hat Turner ein neues Pigment, Barytgelb oder „Zitronengelb", verwendet, das sich im Alter nicht verändert. Das flüchtige Quecksilber-Iodid, auch Iodzinnober genannt, das von Humphrey Davy erstmals künstlich hergestellt wurde, hat allerdings ein gewisses Verblassen der lachsrosa Wolken um den geröteten Himmel verursacht.

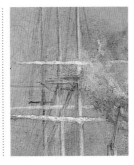

Die Masten der Temeraire waren tatsächlich vor dem Abschleppen abgenommen worden. Ihre Darstellung ist ein Beispiel für die künstlerische Freiheit Turners. Der Rumpf wurde von zwei Schleppern bei vollem Tageslicht im Lauf von zwei Tagen nach einer Vollmondnacht abtransportiert, und um eine längere Rauchfahne malen zu können, versetzte Turner auch den Schlot des Schleppers.

Die „Fighting Temeraire", die Turner selbst als seinen ‚Liebling' bezeichnete, inspirierte zahlreiche Gedichte, darunter eine Ballade des amerikanischen Dichters Herman Melville, der London 1857 besuchte, einige Monate nachdem die von Turner der Nation hinterlassenen Gemälde in Marlborough House ausgestellt waren.

MADAME MOITESSIER (1856)

Öl auf Leinwand, 120 × 92,1 cm

Dieses prächtige Bildnis einer wohlhabenden Bankiersgattin wurde begonnen, als Inès Moitessier 26 Jahre alt war; bei seiner Vollendung war sie bereits 36 und Ingres selbst 76. In der Zwischenzeit zweifelte der Künstler wiederholt an seiner Fertigstellung und schrieb 1853 in einem Brief an sein Modell von ihrem „Porträt, das uns beide schon zu lange quält". Das Bildnis, das uns heute so perfekt kalkuliert und in so makellosem Zustand erscheint, ist das Ergebnis zahlreicher Änderungen, die an Madame Moitessiers Aussehen, ihrer Toilette, ihrem Schmuck und der Ausstattung ihres Salons vorgenommen wurden. Ingres hatte sie ursprünglich gebeten, ihre kleine Tochter, *la charmante Catherine,* mit ins Bild zu bringen, doch das zweifelsohne gelangweilte und zappelnde Kind wurde bald wieder fortgeschickt. 1851 nahm er die Sitzungen wieder auf und vollendete ein Bildnis der stehenden Inès Moitessier in Schwarz (heute in Washington). Hier sitzt sie in der Opulenz des Second Empire, der Kopf auf dem rechten Zeigefinger ruhend, in einer Pose, die auf eine antike Wandmalerei in Arkadien zurückgeht. Über die Kapricen großbürgerlicher Modediktate hinausgehend hat ihr der Künstler die Zeitlosigkeit, Unergründlichkeit und Faszination einer Sphinx verliehen.

Ingres in der National Gallery
Obwohl Ingres die Porträtkunst als niedere Kunstform verachtete und sich lieber der „Historienmalerei" widmete, wurde er zu einem der bedeutendsten Porträtisten aller Zeiten. Zur Sammlung der National Gallery gehört auch das Porträt des französischen Polizeichefs von Rom, *Monsieur de Norvins*, 1811–2.

Das Kleid wurde mehrmals geändert und der ehemals einfarbig gelbe Stoff durch diese auffallend gemusterte Lyoner Seide, gefärbt in den neuen kräftigen Anilinfarben, ersetzt. Grund dafür war eine Mitte der 1850er von Kaiserin Eugenie instigierte Änderung der Mode zur Wiederbelebung der französischen Seidenindustrie im Auftrag Napoleons III.

Das Spiegelbild ist völlig unrealistisch, da Ingres den ursprünglichen Stuhl in ein parallel zum Spiegel stehendes Kanapee umgewandelt hatte. Anstelle einer Rückansicht ihres Kopfes wollte er sein Modell lieber im Profil zeigen, um damit ihre Ähnlichkeit mit der antiken Göttin der Wandmalerei, die ihre Pose inspirierte, hervorzuheben.

BADENDE BEI LA GRENOUILLÈRE (1869)

Öl auf Leinwand, 73 × 92 cm

Dieses ursprünglich nur als *pochade* – eine Vorstudie für größere Kompositionen, die im Atelier anhand von Skizzen ausgearbeitet würden – gedachte kleinformatige Bild wurde später als eigenständiges Werk ausgestellt und zu einem der berühmtesten „impressionistischen" Bilder Monets. Es zeigt La Grenouillère, einen mondänen Urlaubsort an der Seine unweit von Paris, wo Monet im Sommer 1869 Seite an Seite mit Renoir arbeitete. Wir sehen Badekabinen, Mietboote und einen schmalen hölzernen Steg, der zu einer kleinen runden Insel führt, die „Camembert" genannt wurde. Das Malen im Freien war durch zwei Erfindungen, die aufrollbare metallene Farbtube und die flache Metallzwinge für Farbpinsel, merklich erleichtert worden. Die neuen Tuben erlaubten es nun, Ölfarben, die jetzt von spezialisierten Farbherstellern verkauft wurden, statt aufwendig im Studio von Hand produziert zu werden, zu lagern und sie dabei weich und gebrauchsfähig zu halten. Die neuen Pinsel ermöglichten die *taches,* „Flecken" – rasch aufgetragene, breite, flache und gleichmäßige Pinselstriche. Doch auch dieses anscheinend momenthafte Bild, das die übliche Trennung von Skizze und fertigem Bild aufhebt, kam nicht ohne signifikante, mit bloßem Auge sichtbaren Änderungen zustande, vor allem, was die Position der Boote im Vordergrund betrifft.

Die Eisenbahn hatte die Umgebung für die Pariser erreichbar gemacht, und neue Cafés und Badeorte an der Seine zogen Menschen aller sozialen Schichten an. Monets Farbflecken fangen die zwei Frauen in gewagten Badekostümen und vulgären Posen ein, die mit dem Pariser Lebemann in dunkler Jacke und heller Hose flirten.

Die Spiegelungen im sich bewegenden Wasser werden durch gebrochene horizontale Pinselstriche wiedergegeben, die mit denselben flachen Pinseln wie die Figuren gemalt wurden. Eines der Ziele des Impressionismus war es, die flüchtigen Effekte des natürlichen Lichts einzufangen. Monet verwendete künstliche blaue Pigmente anstelle des kostspieligen Lapislazuli.

Mit seinen Freunden Pisarro, Renoir, Degas und anderen war Monet einer der Begründer einer Künstlergenossenschaft, die 1874 im Widerstand zum offiziellen Pariser Salon ihre erste Gruppenausstellung abhielt. Sie wurden nach Monets Landschaftsbild *Impression, soleil levant* mit dem Spottnamen „Impressionisten" bezeichnet.

MISS LA LA IM CIRQUE FERNANDO (1879)

Öl auf Leinwand, 116,8 × 77,5 cm

Seit den späten 1860ern spezialisierte sich Degas in zunehmendem Maße auf Szenen des zeitgenössischen Lebens: Ballett, Konzertcafés, Rennbahn, Frauen bei der Arbeit und bei ihrer Toilette. Wie diese gewagte asymmetrische Komposition hier zeigt, stand er auch unter dem Einfluss der jüngst importierten japanischen Graphik mit ihrer modernen Themenvielfalt. Obwohl er an fast allen Ausstellungen der Impressionisten teilnahm, übernahm er nie ganz deren Ideale. Wie dieses Gemälde zeigt, waren für ihn die Verbindung von Farbe und betonter Linienführung ebenso wichtig wie eine durchdachte Komposition. Ihn interessierten auch die Auswirkungen des künstlichen Lichts. Als er in späteren Jahren an Sehstörungen litt, malte er vor allem mit Pastellfarben und im Atelier.

Miss La La war im Cirque Fernando mit ihren verschiedenen Kraftakten eine Sensation. Anhand zahlreicher im Zirkus selbst angefertigter Skizzen zeigt Degas die Akrobatin hier aus der Sicht des Publikums, wie sie zur Zirkuskuppel hinauf gezogen wird. Der Einfall des Lichts, der unserem Blickwinkel entspricht, akzentuiert die Verkürzung ihres Gesichts und die diagonale Haltung der Arme, die parallel zu den fliehenden Linien der Balken verläuft.

Degas in der National Gallery Der akademischen Tradition tief verhaftet, wie sie ihm von Schülern Ingres vermittelt wurde, versuchte sich Degas zuerst in der Historienmalerei. Eine seiner bedeutendsten Arbeiten dieses Genres, *Junge Spartaner beim Sport,* von etwa 1860, basiert auf einem Text des altgriechischen Dichters Plutarch.

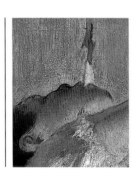

Miss La La, Kind einer Mischehe, war eine Akrobatin, deren Kraftakt darin bestand, dass sie sich, wie auf dem Bild gezeigt, an einem zwischen ihren Zähnen gehaltenen Kabel hoch ziehen ließ. Der Cirque Fernando befand sich an der Ecke des Boulevard Rochechouart und der Rue des Martyrs.

Der perspektivische Aufbau des Bildes ist besonders kompliziert und beruht vermutlich auf Degas Studien italienischer Kunst in den Jahren 1856–9. Die Figur wird hier in der Schrägperspektive von Veroneses Deckengemälden, also seitlich von unten, gezeigt. Das wahrscheinlich zwölfseitige Gebäude scheint sich über die Leinwand hinaus und um den Betrachter herum zu erstrecken.

34 Paul Cézanne (1839–1906)

SELBSTPORTRÄT (um 1880)

Öl auf Leinwand, 33,6 × 26 cm

Cézanne, der große Interpret von Landschaft und Stillleben, experimentierte während seiner gesamten Laufbahn immer wieder mit dem Porträtgenre. Dieses kleine, zurückhaltende Brustbild zeigt ihn im Alter von etwa 41 Jahren, als er finanziell noch immer von seinem tyrannischen Vater, einem reichen Bankier, auf dessen Wunsch er Anwalt geworden war, abhängig war. Er hatte sich zu diesem Zeitpunkt auch von seinen Freunden zurückgezogen. Dieses streng objektive Bildnis gibt uns keinerlei Aufschlüsse über seine Persönlichkeit oder seinen Beruf. Unter Pisarros Führung hatte sich Cézanne mit den Techniken und Theorien des Impressionismus vertraut gemacht. Er verwendet zwar noch immer die gebrochenen Farbflecke der Impressionisten, konzentriert sich hier jedoch auf die dreidimensionale Form und das zweidimensionale Muster und nicht auf die flüchtigen Effekte des natürlichen Lichts. In diesem Bild sind Form und Muster über die ganze Leinwand integriert. Die Kerben im rechten Teil des aufgestellten Mantelkragens ahmen das Rautenmuster der Tapete nach und bilden damit eine Diagonale, die vom Mund des Modells durch dessen Bart und Ohr verläuft. Eine dynamische Linie, die sich an den streng vertikalen Linien des blauen Farbbereichs zu unserer Linken bricht. Die Wölbung des Schädels ist von starker dreidimensionaler Wirkung, im Gegensatz dazu wurde die beschattete Seite des Gesichts jedoch abgeflacht an die Bildoberfläche gebracht.

Isoliert betrachtet wirken Cézannes Augen fast so, als sei das Gesicht frontal gemalt worden. Nur die Blickrichtung deutet an, dass der Kopf im Dreiviertelprofil gezeigt ist und er den Betrachter von der Seite aus ansieht. Das rechte Auge ist dunkler, da es im Schatten liegt.

Die rhombengemusterte Tapete wurde von Cézanne mehrmals gemalt. In ihr sind dynamische Diagonalen mit statischen Horizontalen verbunden. Dies ist typisch für seinen reifen Stil (der die Kubisten Braque, Picasso und Gris beeinflusste): Durch dreidimensionale Strukturen vor flachen Mustern wird die Figur im Vordergrund in den Hintergrund integriert.

Cézanne in der National Gallery Zu den Werken Cézannes in der Sammlung zählt ein frühes Bildnis seines Vaters, das um 1862 direkt auf den Wandverputz des Salons der Familienvilla in Aix-en-Provence gemalt worden war und eines der drei großartigen Bilder der *Badenden* (um 1900–6) aus seiner Spätzeit.

35 Georges-Pierre Seurat (1859–1891)

BADENDE BEI ASNIÈRES (1884)

Öl auf Leinwand, 201 × 300 cm

Schauplatz dieses ersten großformatigen Gemäldes Seurats ist ein Abschnitt der Seine nordwestlich von Paris zwischen Asnières und Courbevoie. In der Ferne sind die großen Fabriken von Clichy zu sehen; im Vordergrund sehen wir Industriearbeiter, die ihren freien Tag genießen. Die Erholung des Proletariats war von aktuellem Interesse und bewegte damals sowohl radikale Politiker als auch realistische Schriftsteller. Auf den ersten Blick enthält Seurats Darstellung keinen offenkundigen sozialen Kommentar, doch im Original erinnert das Bild in seiner enormen Größe an die heroischen Historiengemälde vergangener Zeiten und insbesondere an die Fresken

Piero della Francescas, mit deren Nachbildung Seurat in der Kapelle der Ecole des Beaux-Arts in Paris sicher vertraut war. Die ursprüngliche Behandlung, die seinem berühmten Pointillismus vorausgeht, variierte von dem pastosen impressionistischen Farbauftrag des Flusses bis zum Kreuzundquer rosa, orangefarbener, gelber und grüner Linien im Gras. Wie in Seurats in Contékreide ausgeführten Zeichnungen haben die Figuren eine strahlende Erscheinung, was darauf beruht, dass die Helligkeit des Hintergrunds ohne Rücksicht auf die optische Realität manipuliert wurde: Das Wasser hinter sonnenbeschienener Haut erscheint dunkel und hinter verschatteter Haut hell.

Seurat in der National Gallery
Vorbereitende Ölskizzen zu diesem Bild und zu Seurats nächstem großen Werk, *Sonntagnachmittag auf der Insel La Grande Jatte,* (heute in Chicago) wurden der National Gallery 1995 geschenkt. Gleichzeitig wurde auch sein pointillistisches Spätwerk, *Der Kanal von Gravelines,* 1890, erworben.

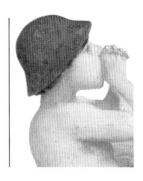

Dieser Gemäldeausschnitt wurde von Seurat mit seiner von der impressionistischen Farbtheorie adaptierten pointillistischen Maltechnik überarbeitet. Die Modellierung des Huts entstand durch den Zusatz rein blauer und gelber Farbtupfer, die auf der Retina des Betrachters ein Farbgemisch entstehen lassen, ohne dabei eine Trübung der Farben zu verursachen, wie dies bei den auf der Palette gemischten Farben der Fall ist.

Das Paar mit Sonnenschirm und Zylinderhut wird auf der Fähre unter der Trikolore der Dritten Republik über den Fluss zur *Grande Jatte* befördert, einem beim Bürgertum beliebten Ort, und Schauplatz von Seurats nächstem Monumentalwerk.

VAN GOGHS STUHL (1888)

Öl auf Leinwand, 91,8 × 73 cm

Im Februar 1888 verließ van Gogh Paris und ging nach Arles. Wie viele Künstler seiner Zeit sammelte er japanische Drucke und sah in Japan ein idyllisches, eng mit der Natur verbundenes Land. Er hoffte, in der Provence ähnliches vorzufinden und dort eine Künstlerkolonie zu gründen. Ein heftiger Streit mit Gauguin, seinem ersten Gast, zerstörte bald diese Hoffnung und führte zu seinem ersten Zusammenbruch. Van Gogh malte dieses Bild als eines von zweien, um damit seine eigene und Gauguins künstlerische Einstellung zu kontrastieren. Gauguin war der Ansicht, dass der Künstler seinen bildlichen Ausdruck in einer auf Phantasie und Literatur begründeten Vorstellungswelt suchen sollte. Van Gogh beschrieb *Gauguins Stuhl*, der sich heute in Amsterdam befindet, als „einen Armstuhl, rote und grüne Nachteffekte … auf dem Sitz zwei Romane und eine Kerze". Seine eigene, auf einer direkten Beziehung zur Natur begründete Einstellung zur Kunst umriss er in *Van Goghs Stuhl* als einen „hölzernen Stuhl mit Binsensitz ganz in Gelb auf roten Fliesen vor einer Wand (Tag)". Das Bild zeigt einen rustikalen Stuhl in „japanischer [also flacher] Perspektive", dahinter Blumenzwiebeln, die auf ein natürliches Wachstum hinweisen. Eine dunklere Assoziierung könnte von der Pfeife und dem Tabak auf dem Sitz ausgehen. In holländischen Stillleben des 17. Jahrhunderts, die van Gogh gut kannte, war das Rauchen ein Symbol für die Vergänglichkeit alles Irdischen in Anlehnung an Psalm 102:1–3: „Herr, höre mein Gebet … denn meine Tage werden verzehrt wie Rauch …"

Die Blumenzwiebeln sprießen hier im November oder Dezember, als das Bild begonnen wurde. Sind es Zwiebeln oder Tulpen aus van Goghs holländischer Heimat? Könnte der Künstler hier neben den regenerierenden Kräften der Natur auch spaßhaft auf ein embryonales holländisches Blumenbild angespielt haben?

Van Gogh war Raucher und die hier gezeigte Pfeife gehörte sicher ihm. Der Sohn eines protestantischen Pfarrers, der selber Priester werden wollte, befasste sich intensiv mit der holländischen Malerei. Stillleben, die die Vergänglichkeit zum Thema hatten, wurden als Vanitas bezeichnet, nach der lateinischen Fassung von Prediger 1:2: „Es ist alles Eitelkeit, sprach der Prediger … es ist alles Eitelkeit".

Van Gogh in der National Gallery
Van Goghs berühmtestes Gemälde in der National Gallery sind seine *Sonnenblumen*, das der Künstler als eines von vier im Sommer vor seinem Umzug nach Arles im Oktober 1888 malte. Die gelbe Farbe war für van Gogh ein Symbol der Freude.

Umschlagvorderseite: Ausschnitt aus Hans Holbeins des Jüngeren „Die Gesandten" (1533)

Umschlagrückseite: Ausschnitt aus Joseph Mallord William Turners *Fighting Temeraire wird zum letzten Liegeplatz geschleppt, 1838* (vor 1839)

Frontispiz: Ausschnitt aus Pieter de Hoochs *Hof eines Hauses in Delft* (1658)

© National Gallery Company Limited 2001
Neue Auflage 2002

Alle Rechte vorbehalten. Kein Teil dieser Veröffentlichung darf ohne schriftliche Einwilligung des Verlags in irgendeiner Form (Fotokopie, Mikrofilm oder ein anderes Verfahren) reproduziert oder unter Verwendung elektronischer Systeme verarbeitet, vervielfältigt oder verbreitet werden.

Erstveröffentlichung 2001 durch
National Gallery Company Limited
St Vincent House
30 Orange Street
London WC2H 7HH

www.nationalgallery.co.uk

ISBN 1 85709 901 X
525073

British Library Cataloguing-in-Publication Data
Ein Katalogauszug ist von der British Library erhältlich

Übersetzung: Ingrid Price-Gschlössl für
First Edition Translations Ltd., Cambridge, Großbritannien
Schriftsatz: Computech für First Edition Translations Ltd.,
Cambridge, Großbritannien
Gestaltung: Sarah Davies
Redaktion: Tom Windross (Jasmin Maier)
Gedruckt und gebunden in Italien durch Graphicom